Computer Bild

Computent statt compliziert

Elmar Friebe

# Works
## für Windows 95

## 6 Tabellenkalkulation – Gut rechnen mit der Tabellenkalkulation 65



## 7 Diagramme – Diagramm: Ein Bild sagt mehr als 1000 Zahlen 84



## 8 Datenaustausch – So klappt's auch mit dem Nachbarn 91



## 9 DFÜ – Die Welt am Draht: DFÜ mit Works 99



## Fachbegriffe – Was ist eigentlich…? 103

# Zu diesem Buch

*Thomas Hoffmann*
Herausgeber

Wenn Sie heute einen Computer kaufen, ist auf dessen Festplatte oft bereits Works für Windows von Microsoft gespeichert. Damit erhalten Sie ein kleines Programmpaket fürs Briefeschreiben, für Kalkulationen, für die Adressenverwaltung und Datenbank-Anwendungen, mit dem Sie sofort am Rechner loslegen können.

Works wird von vielen unterschätzt. Die Vorherrschaft der Spezialprogramme Word, Excel und Co. vom gleichen Hersteller verstellt oft den Blick auf das kleine „Universalgenie". Doch es kann fast alles, was an normalen Büroanwendungen anfällt. Grund genug, den kleinen Alleskönner genauer unter die Lupe zu nehmen.

In diesem Buch erfahren Sie einiges über die Fähigkeiten und die Bedienung von Works 4 für Windows 95. Eine Fülle von praktischen Beispielen soll Ihnen die Beschäftigung mit dem Programm schmackhaft machen. Alle Erklärungen führen Sie Schritt für Schritt zuverlässig zum Ziel..

Dieses Buch will kein Ersatz für ein ausführliches Handbuch sein und wirklich alle vorhandenen Funktionen erläutern. Denn die Lektüre von Handbüchern ist normalerweise ebenso spannend wie die von Gesetzestexten. Die folgenden Seiten dienen einem anderen Ziel: Sie sollen Sie dazu verleiten, nach dem Schnuppern an den vielfältigen Möglichkeiten von Works anhand der Beispiele auf Entdeckungsreise ins Innere des Programms zu gehen. Und Sie werden eine Vielzahl weiterer Tips finden, wie Sie mit Works noch besser arbeiten können. Denn obwohl das Programm schon zahlreiche Hilfen in Form sogenannter „Assistenten" enthält, gibt es in der Praxis so manches kleine Problem, das sich mit pfiffigen Tips schnell beheben läßt.

# 1 Universalgenie Works für Windows

Viele Aufgaben, für die früher noch Schreibmaschine, Taschenrechner oder Karteikasten herhalten mußten, lassen sich heute viel einfacher mit Hilfe eines Computers erledigen. Denken Sie nur an das Schreiben von Briefen: Einmal die falsche Taste auf der Schreibmaschine getippt, und schon war mühsames Ausbessern des Fehlers notwendig. Wer seine Briefe mit Bildern ausschmücken wollte, mußte diese zuerst ausschneiden und von Hand aufkleben.

Noch schlimmer: Wer gleichlautende Briefe, beispielsweise Einladungen, an mehrere Leute verschicken wollte, mußte die Briefe immer wieder komplett neu eintippen und jeweils mit einer anderen Adresse versehen.

Und wohl jeder Schüler oder Student, der ein Referat oder eine Hausarbeit zu Papier bringen mußte, kennt die Plage, erklärende Fußnoten unten auf der Seite an der passenden Stelle und in ausreichender Länge zu plazieren. Kein Wunder also, daß der Computer immer häufiger für solche Aufgaben eingesetzt wird und Einzug in immer mehr Haushalte findet. Allerdings: So ganz allein kann auch der Computer natürlich keine Briefe schreiben oder Adressen verwalten. Er benötigt dazu ein oder auch mehrere Anwendungsprogramme. Zum Beispiel Works für Windows.

## Was Works alles kann

Dieses Programm ist speziell dazu entwickelt worden, den Übergang von der Schreibmaschine, vom Karteikasten und vom Taschenrechner zum Computer so einfach wie möglich zu machen. Da inzwischen Windows 95 längst zum Standard als PC-Betriebssystem geworden ist, werden Sie in diesem Buch ausschließlich Informationen und Tips zu Works 4.0 für Windows 95 finden. Schon durch seinen englischen Namen „Works" deutet es an, wofür es gedacht ist: zum einfachen Arbeiten. Wer den Mut hat, seine vertrauten und einfach zu bedienenden Arbeitsmittel gegen einen auf den ersten Blick so kompliziert wirkenden Computer einzutauschen, hat weder Zeit noch Lust, sich mit komplizierten Programmen und ihrer Bedienung auseinanderzusetzen. Das Ziel ist es doch vor allem, sich all die Mühe, die die bisherige Arbeitsweise mit sich brachte, zu ersparen. Wer erst ständig überlegen muß, wie er etwas mit einem Programm erledigen kann, wird den Computer kaum als brauchbares Arbeitsmittel schätzen lernen und lieber wieder zur gewohnten Arbeitsweise zurückkehren.

Doch dieser Effekt dürfte bei der Arbeit mit Works für Windows kaum zu befürchten sein. Zu den größten Vorteilen dieses Programms zählen beispielsweise die mehr als 30 Assistenten, die Sie bei typischen Aufgaben wie das Schreiben eines Briefes Schritt für Schritt begleiten.

Bei der Arbeit mit Works geht es weniger darum, zu überlegen, wie Sie etwas tun: Wenn Sie wissen, was Sie machen wollen (etwa die Adressen Ihrer Freunde zu verwalten), kommen Sie mit den passenden Assistenten sofort zum gewünschten Ziel. Sie werden sofort feststellen, daß die alte Schreibmaschine wirklich ausgedient hat, wenn Sie mit Works Ihren ersten Brief geschrieben haben. Und Ihren Karteikasten mit den gesammelten Adressen und Daten aller Freunde und Bekannten werden Sie in kürzester Zeit nicht mehr vermissen. Works für Windows ist eine ausgesprochen vielseitige Software. Im Grunde genommen ist es gar nicht nur ein einzelnes Programm, sondern besteht sogar aus insgesamt vier Bausteinen. Aber das fällt kaum auf, weil sich alle Teile gleich bedienen lassen.

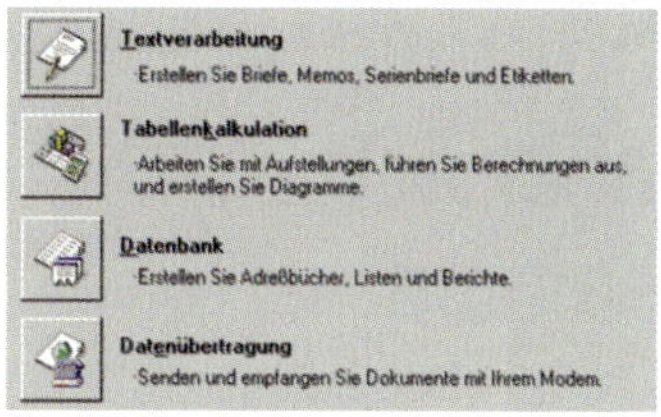


# Nicht nur zum Schreiben...

Works enthält eine Textverarbeitung. Damit ist zunächst gemeint, daß Sie Texte wie mit der Schreibmaschine über die Tastatur eingeben können. Doch versuchen Sie mal, mit der Schreibmaschine unterschiedliche Schriften oder verschiedene Schriftgrößen auf ein Blatt Papier zu bringen. Schon bei den vielfältigen Möglichkeiten zur Formatierung von Texten, also den Gestaltungsmöglichkeiten für einzelne Buchstaben, Sätze, Absätze oder ganzen Seiten, werden Sie die Vorzüge einer Textverarbeitung schnell zu schätzen wissen. Was Works in dieser Hinsicht zu leisten vermag, werden Sie anhand von typischen Aufgaben Schritt für Schritt kennenlernen.

## Informationen aller Art sammeln

Dies gilt natürlich auch für die anderen Programmteile von Works. Mit der Datenbank beispielsweise können Sie beliebige Informationen sehr einfach festhalten, ordnen und – was sicher zu den größten Vorzügen einer Datenbank gehört – sehr schnell wiederfinden.
Sammeln Sie Kochrezepte? Verlieren Sie langsam den Überblick über Ihr Videokassetten-Archiv? Welcher Ihrer Freunde hat wann Geburtstag? Sind Sie naturverbunden und wollen alle Informationen in Bild und Text zu den heimischen Vogelarten sammeln? Das sind nur einige Beispiele dafür, wofür eine Datenbank eingesetzt werden kann.

## Damit können Sie rechnen

Ein weiterer Programmteil ist die Tabellenkalkulation. Wenn Sie die Übersicht über Ihre privaten Finanzen behalten wollen, können Sie damit sehr einfach ein Haushaltsbuch führen. Benötigen Sie ein Darlehen? Ermitteln Sie im Vergleich mehrerer Angebote das für Sie wirklich günstigste Finanzierungsangebot.
Vorteil: Sie können mit Hilfe einer Tabellenkalkulation sehr einfach durch Veränderung eines oder mehrerer Werte feststellen, welche Auswirkungen dies auf das Endergebnis haben kann. Beispiel Kredit: Wie wirken sich längere Laufzeiten oder ein anderer Zinssatz aus? Und weil kaum anzunehmen ist, daß Sie aus der Schulzeit noch alle wichtigen Formeln etwa zur Berechnung des Zinseszins aus dem Effeff kennen, enthält Works eine Vielzahl nützlicher Formeln, in die Sie lediglich noch die passenden Werte eintragen müssen. Auch solche Hilfsmittel werden Sie an typischen Beispielen kennenlernen.

# Von Computer zu Computer

Das vierte Teilprogramm von Works dient zur Datenfernübertragung, kurz DFÜ. Das war (und ist es im Grunde heute auch noch) eine einfache Methode, Daten zwischen zwei Computern über die Telefonleitung auszutauschen. Dazu muß natürlich an beiden Computer ein Modem angeschlossen sein. In den Zeiten großer Online-Dienste wie Compuserve oder AOL verliert die Datenfernübertragung allerdings immer mehr an Bedeutung. Dabei gibt es fast immer in unmittelbarer Nähe – sprich zum günstigsten Telefontarif – interessante Mailboxen, die meist kostenlos den Zugang erlauben und eine wahre Fundgrube an interessanten Programmen oder auch neuen Treibern beispielsweise für Grafikkarten oder Soundkarten sind. Sogar ein „Gespräch" mit anderen Computer-Besitzern ist so möglich.

Viele Tageszeitungen informieren über solche Mailboxen in der näheren Umgebung. Ein Besuch lohnt sich oft: Wer zum Beispiel im weltweiten Internet nach bestimmten Treibern forscht, muß neben den Telefonkosten auch noch Gebühren für den Dienst zahlen, der den Zugang ins Internet ermöglicht. Wer solche Treiber in nahegelegenen Mailboxen sucht (und meist auch schnell findet), spart damit auch Geld. Einige nützliche Tips zu diesem Programm werden Sie daher auch hier erfahren.

# Der rote Faden: ein fiktiver Fußballverein

Für alle Beispiele in diesem Buch gibt es einen roten Faden: einen Verein namens TSV Musterstadt. Schließlich sind die meisten von uns in irgendeinem Verein angemeldet. Und in jedem Verein werden Briefe verschickt, Mitglieder erfaßt, Haushaltspläne erstellt, Mitgliedsbeiträge verwaltet.

Am Beispiel eines fiktiven Vereins werden Sie also kennenlernen, wofür Works sich alles einsetzen läßt. Aber: Weil bestimmt nicht jeder Leser (und Works-Anwender) tagtäglich die gesamte Organisation eines Fußballvereins zu übernehmen hat, fehlen natürlich auch nicht Hinweise auf andere Einsatzgebiete. Vielleicht wollen Sie ja lieber die heimische Fauna und Flora erfassen oder aber – speziell für Freiberufler nicht ganz uninteressant – Ihre Einnahmen und Ausgaben für die nächste Steuererklärung erfassen?

Auch wenn Sie Works später überwiegend nur als Datenbank oder als Textverarbeitung nutzen, werden Sie daher anhand der Beispiele des Buchs viele Anregungen dafür finden, Works nicht nur möglichst effektiv für private oder auch berufliche Zwecke einzusetzen, sondern für eigene Ideen zu optimieren, für die es keine Assistenten gibt. So wäre es beispielsweise denkbar, eine Arbeitsverwaltung mit Erfassung von Tag- und Nachtdiensten, Fehl- und Urlaubszeiten mit Works zu gestalten.
Was immer Sie auch dann mit Works realisieren wollen: Mit den Informationen aus diesem Buch erhalten Sie zahlreiche Anregungen dafür, wie Sie Works besser und effektiver für Ihre eigenen Aufgabenstellungen einsetzen können.

# Aufbau dieses Buches

Was Sie in diesem Buch lesen, ist natürlich kein Krimi, bei dem Sie von der ersten bis zur letzten Zeile mitfiebern. Anders ausgedrückt: Sie müssen dieses Buch nicht von vorne bis hinten durchlesen. Suchen Sie sich einfach immer die Kapitel aus, die Sie gerade interessieren oder die Sie für Ihre Arbeit gerade benötigen. Wenn Sie gerade mit der Datenbank arbeiten und überlegen, wie Sie eine einzelne Adresse daraus für einen Brief übernehmen können, schlagen Sie das entsprechende Kapitel 8 auf. Fast alle Kapitel sind so aufgebaut, daß sie grundlegende Vorgehensweisen so schildern, daß sie auch ohne die Lektüre anderer Kapitel verständlich sind. Das geht aber nicht immer. In solchen Fällen erhalten Sie immer einen kurzen Hinweis, in welchem Abschnitt Sie zusätzlich benötigte Informationen finden.
So wie Works für Windows selbst gliedert sich dieses Buch fast von allein: Im nächsten Kapitel finden Sie eine kurze Beschreibung der Installation des Programms. Bei Ihnen ist Works schon vorinstalliert und daher dieses Kapitel uninteressant? Kein Problem, überspringen Sie es einfach. Wenn Sie bei einem Fehler das Programm doch noch einmal neu installieren müssen, wissen Sie ja, wo Sie es nachlesen können. Im nächsten großen Kapitel ist die Textverarbeitung der große Schwerpunkt. Wenn Sie jetzt vermuten, daß sich die nachfolgenden Kapitel jeweils mit der Datenbank und der Tabellenkalkulation beschäftigen, liegen Sie genau richtig. Dem Thema Diagramme, das ja eigentlich zur Tabellenkalkulation gehört, ist dabei ein eigenes Kapitel gewidmet. Auch das Thema Datenfernübertragung kommt nicht zu kurz, wenn es

auch weniger umfangreich ist als die anderen Kapitel.
Ein eigenes Kapitel ist dem Datenaustausch gewidmet. Hier geht es zum Beispiel darum, wie Sie Informationen, die Sie in einem Bereich von Works erfaßt haben, auch in einem anderen nutzen können. Wenn Sie schon mal alle Adressen in einem Adreßbuch erfaßt haben, wollen Sie diese ja bestimmt nicht noch einmal eintippen, wenn Sie einen Brief schreiben. Solche stumpfsinnigen Arbeiten soll ja schließlich der Computer übernehmen.
Da Works auch mit einigen kleinen Ergänzungsprogrammen zum Zeichnen und zur Textgestaltung ausgeliefert wird, werden Sie an passenden Stellen diese Programme ebenfalls kurz kennenlernen. Für einige Tips sind sie sogar unentbehrlich.

# Computer-Sprache – schwere Sprache

Was für den Profi selbstverständlich ist, ist für die meisten anderen ein Buch mit sieben Siegeln. Nicht nur die Computer-Sprache wimmelt von Fachbegriffen, die vor allem Anfänger verwirren. Oder verstehen Sie immer alles, was Ihnen Politiker heute so alles mit hochtrabenden Fachbegriffen an den Kopf werfen?

In diesem Buch geht Verständlichkeit vor Fachsprache, die aber nicht immer zu vermeiden ist. Die wichtigsten Fachausdrücke, die bei der Arbeit mit Windows 95 und mit Works für Windows immer wieder mal auftauchen, finden Sie daher am Ende dieses Buches noch einmal alphabetisch geordnet und kurz erläutert.

# 2 Works für Windows richtig installieren

Ein völlig überflüssiges Kapitel, werden jetzt viele von Ihnen denken (und das wird auch für das nächste Kapitel – wenn auch vielleicht aus anderen Gründen – gelten): Works ist nämlich auf vielen neuen Computern schon vorinstalliert. Sie haben ja recht mit dieser Meinung und können dieses Kapitel auch einfach überspringen.

Andererseits: Es könnte ja sein, daß aus Versehen mal die eine oder andere Datei gelöscht wird, ohne die Works nicht funktionieren will. Dann müssen Sie Works neu installieren und sind vielleicht froh, wenn Sie hier die Beschreibung dafür finden. Und es gibt sicher viele Leser, die sich Works für Windows 4.0 erst noch kaufen wollen. Zum Beispiel, weil bereits Works 3.0 schon vorhanden ist und jetzt zur neuen Version gewechselt werden soll. In diesem Fall spricht man auch von einem „Update“. Das ist insofern interessant, als reine Update-Versionen weitaus preiswerter als komplette Vollversionen zu erhalten sind. Schon bei der Installation wird bei einem Update überprüft, ob eine ältere Version vorhanden ist. Nur in diesem Fall kann die neue Version installiert werden.

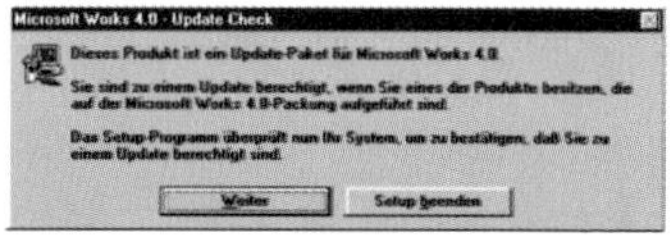


Außerdem: Es lohnt sich vielleicht, auch nachträglich noch einmal das Installationsprogramm aufzurufen. Wenn Sie nämlich feststellen, daß Sie niemals die vorhandenen Clipart-Bilder von Works einsetzen, sollten Sie den wertvollen Festplattenplatz lieber freimachen und alles, was Sie nicht mehr benötigen, löschen.

## Diskjockeys an die Arbeit

Zum Glück klingt der Begriff „Installation“ viel komplizierter, als das Überspielen der Programmdateien von den Installations-Disketten beziehungsweise von der CD-ROM auf die Festplatte in Wirklichkeit ist. Und dieser Vorgang dauert auch nicht lang, wie Sie gleich sehen werden.

Das gesamte Works-Paket wird auf sieben Disketten ausgeliefert. Die sind alle auch von 1 bis 7 beschriftet. Starten Sie also Ihren PC, nehmen Sie die erste Diskette, stecken sie ins Diskettenlaufwerk, und dann geht's los:

**1** Klicken Sie unten links in der Startleiste auf 

. Im Menü klicken Sie dann auf den Befehl

.

**2** Ein Fenster wird sichtbar. In die Eingabezeile tippen Sie folgendes ein:

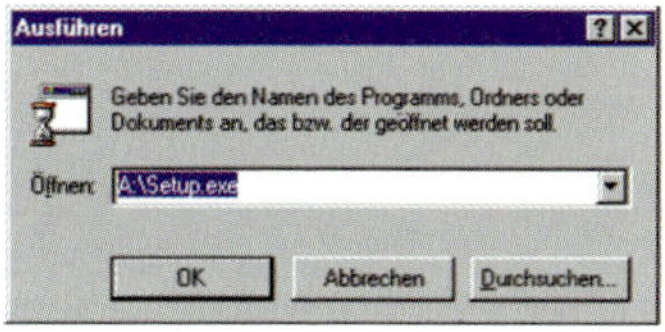


Sollten Sie Works nicht auf Diskette, sondern auf einer CD-ROM erhalten haben, ersetzen Sie den Laufwerksbuchstaben A: (der hier für das Diskettenlaufwerk steht) durch den Ihres CD-ROM-Laufwerks. Das dürfte dann meistens D: sein. Und Sie haben Glück, denn das erspart Ihnen auf jeden Fall Zeit und den lästigen Diskettenwechsel, der Ihnen sonst noch auf jeden Fall blüht.

**3** Klicken Sie nun auf

.

Damit startet die Installation von Works.

**4** Nach kurzer Zeit erscheint als erstes ein Fenster, mit dem Sie zunächst begrüßt werden. Klicken Sie hier sofort auf 

.

**5** Das nächste Fenster ist insofern recht wichtig, weil hier eine Lizenz- oder auch Registrierungsnummer angezeigt wird. Die können Sie nun auf die im Works-Paket enthaltene Registrierungskarte eintragen:

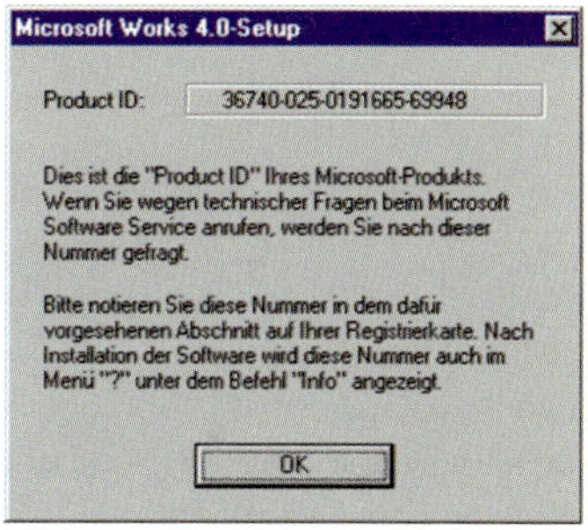


Da Works aber diese Nummer ohnehin speichert und auf Wunsch jederzeit anzeigt (wie, lesen Sie weiter hinten), sollten Sie sich damit jetzt nicht aufhalten und auf 

klikken.

**6** Als nächstes müssen Sie Ihren Namen und – falls notwendig – den Namen Ihrer Firma angeben. Weiter geht's wieder mit 

.

Damit alles seine Ordnung hat, wiederholt Works jetzt Ihre Angaben. Da Sie hoffentlich keine Fehler bei der Eingabe vorgenommen haben, bestätigen Sie alles mit 

.
Andernfalls können Sie Ihre Angaben noch einmal korrigieren und dann weitermachen.

**7** Als nächstes schlägt Ihnen Works einen Ordner vor, in den das Programm installiert wird:

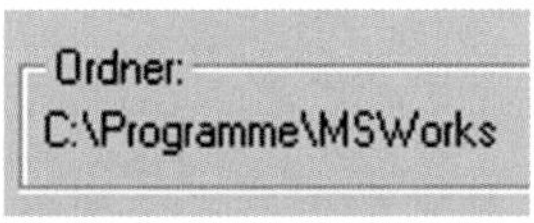

.

Sie könnten zwar jetzt diesen Vorschlag ablehnen und einen anderen Ordner festlegen. Im Buch wird aber bei allen Beispielen davon ausgegangen, daß Sie hier den Vorschlag akzeptieren. Also los:

Klicken Sie auf 

.

**8** Im nächsten Fenster stellt Sie Works vor die Wahl, ob Sie eine vollständige Installation aller Programmteile vornehmen oder lieber auswählen wollen, was da so alles auf Ihrer Festplatte eingerichtet werden soll. Wenn Sie noch wenig Erfahrung bei der Arbeit mit Computern haben, sollten Sie auf jeden Fall die erste Möglichkeit wählen.

> **! Angepaßte Installation**
>
> Die Variante der angepaßten Installation sollten Sie dann verwenden, wenn Sie beispielsweise nur wenig Platz auf der Festplatte haben oder nicht alle Works-Bausteine brauchen. Wenn Sie das entsprechende Installations-Symbol anklicken, gelangen Sie zu Programmfenstern, in denen Sie mit der Maus die Programme und Hilfsmittel auswählen können, die auf die Festplatte überspielt werden. Um Platz zu sparen, können Sie beispielsweise auf die mitgelieferten Grafiken oder das DFÜ-Programm verzichten. Da in diesem Buch von einer vollständigen Installation ausgegangen wird, bleibt diese Variante hier unberücksichtigt.

**9** Bisher haben Sie während der Installation nur irgendwelche Schaltflächen kennengelernt, die beschriftet waren. Wenn Sie jetzt eine ähnliche

Schaltfläche suchen, um endlich weiter zu machen, werden Sie nichts finden. Die Lösung: Klicken Sie einfach auf das folgende Bild:

.

Solche Schaltflächen, die Sie mit der Maus anklicken, können also auch als Bild gestaltet sein.

**10** Als nächstes fragt das Programm nach, ob auf dem Desktop von Windows eine Verknüpfung angelegt werden soll:

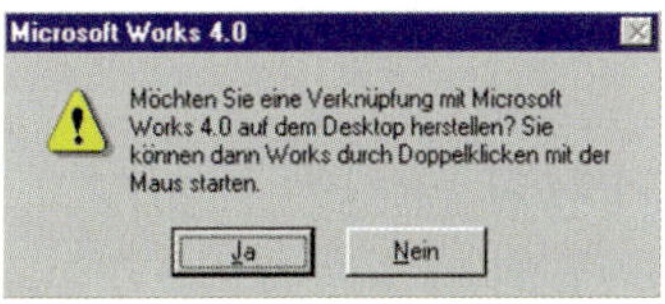


Vorteil: Sie können Works dann später mit einem Doppelklick sofort starten. Bestätigen Sie diese Anfrage daher unbedingt mit einem Mausklick auf:

.

**11** Nun bleibt Ihnen nichts anderes übrig, als den Diskjokkey zu spielen: Works meldet sich immer wieder, wenn die nächste Diskette eingelegt werden muß. Wechseln Sie also die Diskette, wenn eine Meldung wie folgende erscheint, und drücken Sie dann die ↵-Taste.

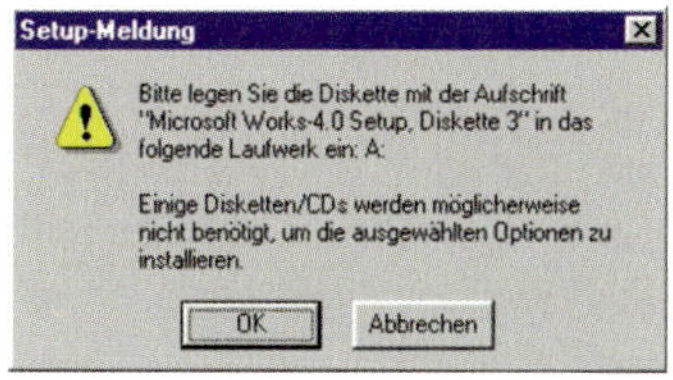


Das dauert natürlich so seine Zeit. Nach Einlegen der siebten Diskette meldet Works dann den Erfolg der Installation:

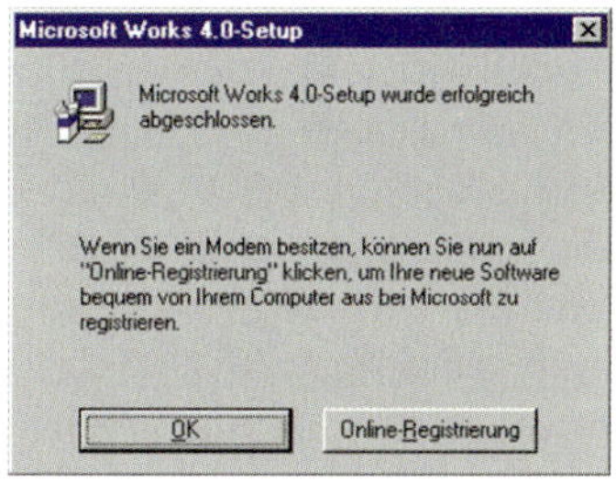


# Registrieren per Modem?

Nun gibt es zwei Möglichkeiten: Entweder Sie beenden die Installation mit einem entschlossenen Mausklick auf

Oder aber Sie wollen sich den Gang zur Post und das Porto für das Abschikken der Registrierkarte schenken und bevorzugen daher eine Registrierung per Modem. Letzeres muß dann natürlich am Computer angeschlossen sein.

Ein spezielles Programm, das sich „Registrier-Assistent" nennt, führt Sie dann Schritt für Schritt weiter. Dabei werden unter anderem Informationen über die Bestandteile Ihres Computers und sogar über die sonstige vorhandene Software ermittelt und – mit Ihrem Einverständnis – auch an Microsoft übermittelt.

Und genau das ist ein zwiespältiger Aspekt. Zum einen hat Microsoft natürlich völlig Recht, daß eine möglichst genaue Kenntnis von Hardware und Software ausgesprochen hilfreich ist, wenn bei Works mal Probleme auftreten und Sie dann telefonisch um Rat bitten.

Andererseits: Überlegen Sie sich dabei genau, was Sie da so alles speziell an Software auf Ihrem Computer zum Einsatz bringen.

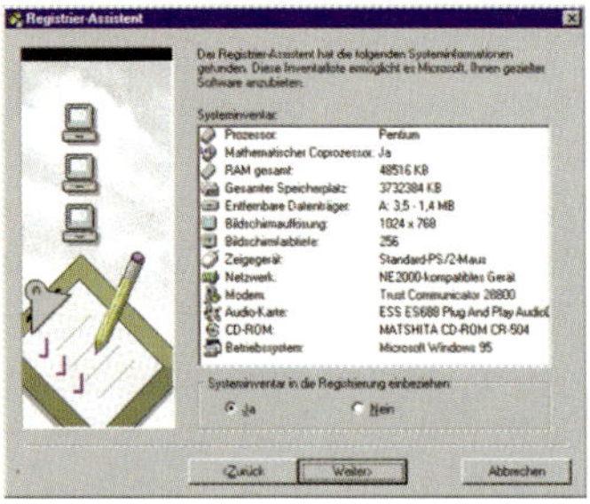


*Detaillierte Kenntnisse Ihres Computers erhält Microsoft bei der Online-Registrierung, wenn Sie die Übermittlung nicht verhindern.*

Das muß nun aber wirklich nicht sein: Verzichten Sie daher lieber auf die Online-Registrierung. Der Verzicht auf die Online-Registrierung heißt natürlich nicht, daß Sie sich nicht ordnungsgemäß registrieren lassen sollten. Schicken Sie aber lieber dazu die dem Paket beiliegende Registrierkarte mit der Post ab.

> **! Registrierungsnummer**
>
> Die Registrierungsnummer (oder auch Serien- oder Lizenznummer – ganz wie Sie wollen) erfahren Sie, falls nicht direkt bei der Works-Installation notiert, indem Sie nach dem Programmstart in der Menüzeile auf das Fragezeichen [?] und dann auf den Befehl [Info] klicken.

Wie die Online-Registrierung genau abläuft, sollen Sie trotz des Tips zum Verzicht in aller Kürze erfahren:

**1** Klicken Sie also auf [Online-Registrierung].

Sofort meldet sich der Assistent mit einer netten Begrüßung, die Sie getrost mit einem schnellen Klick auf [Weiter>] beenden können.

**2** Im nächsten Fenster müssen Sie nun eintragen, wer Works gekauft hat. Geben Sie hier Ihren Namen und bei Bedarf auch den Firmennamen ein.

Mit [Weiter>] geht's zur nächsten Etappe.

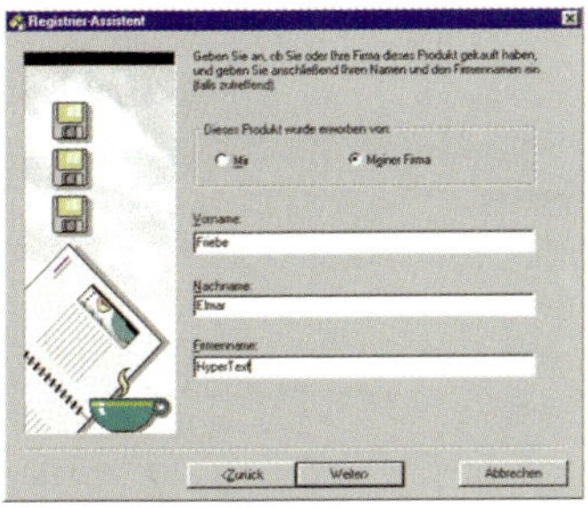


**3** Das folgende Fenster erfordert die Eingabe Ihrer Adresse. Außerdem können Sie festlegen, ob Sie zusätzliche Produktinformationen (sprich: Werbung) erhalten wollen. Klicken Sie wieder auf [Weiter>].

**4** Anschließend wird noch einmal Ihre Seriennummer (Sie wissen schon: Registriernummer, Lizenznummer) gezeigt. Wie Sie auch später noch diese Nummer jederzeit anzeigen lassen können, wissen Sie ja nun. Also flugs auf die Schaltfläche

[Weiter>] geklickt.

**5** Nun wird eine Liste Ihrer vorhandenen Hardware angezeigt. Wichtig in diesem Fenster ist der untere Bereich. Hier ist zu empfehlen (was geht Microsoft denn wirklich Ihr Computer an?), folgende Möglichkeit per Mausklick einzustellen:

Wie nicht anders zu erwarten: Klicken Sie wieder auf [Weiter>]

**6** Jetzt wird noch einmal ein Fenster mit einigen Erläuterungen sichtbar. Überfliegen Sie es, und klicken Sie auf [Registrieren].

**7** Daraufhin wird ein Fenster sichtbar, das zeigt, wie die Registrierung erfolgt: über das Microsoft Netzwerk. Zum Glück über eine kostenfreie 0130er-Nummer:

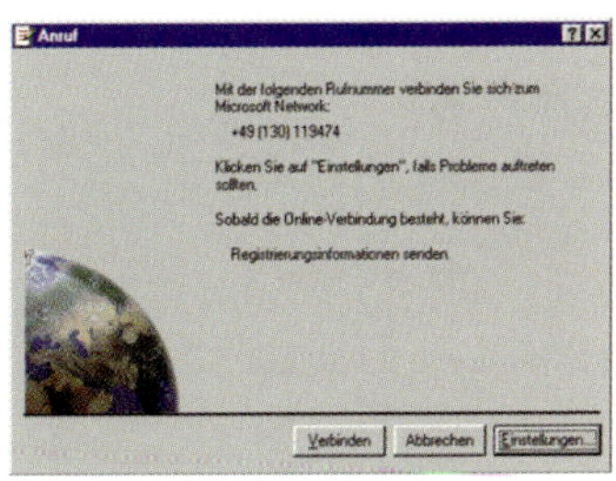


Sie können also getrost auf

klicken.

**8** Vorausgesetzt, Ihr Modem ist unter Windows 95 korrekt eingestellt (und davon sollte man ja ausgehen), wird nun eine Verbindung aufgebaut. Alle Informationen (welche, zeigt das Programm leider nicht) werden nun übertragen. Anschließend wird die Verbindung automatisch beendet, und Works meldet den Erfolg in einem neuen Fenster:

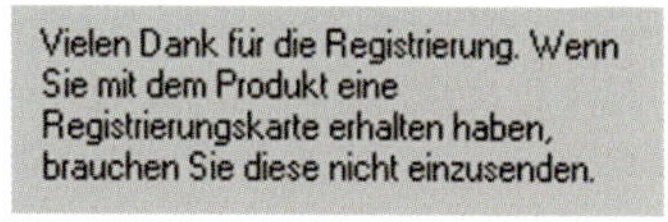


**9** Bestätigen Sie das mit einem Mausklick auf 

, und Sie sind automatisch registriert. Porto haben Sie so auf jeden Fall gespart. Aber was hat Microsoft nun wirklich von Ihnen (genauer von Ihrem Computer) erfahren?

# Nachträgliche Installationskorrekturen

Wenn Sie Works wie zu Beginn beschrieben einrichten, finden Sie nicht nur ein Programmsymbol auf dem Desktop, das per Doppelklick Works startet. Natürlich können Sie Works (wie jedes andere Anwendungsprogramm auch) auch mit Mausklick auf

in Gang setzen. Plazieren Sie im Menü den Mauszeiger auf

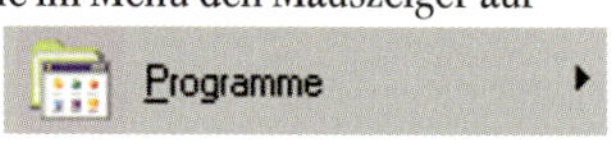


Ein weiteres Menü wird sichtbar. Setzen Sie den Mauszeiger auf

Nun wird ein kleines Menü angezeigt, das weitaus mehr Möglichkeiten als nur den Programmstart von Works beinhaltet:

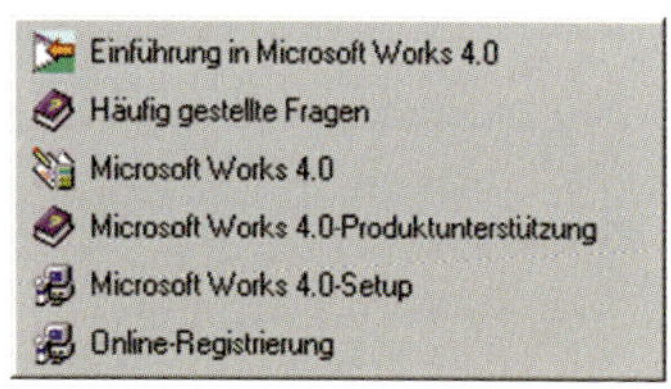


Zum Beispiel läßt sich so jederzeit noch einmal per Mausklick das Installationsprogramm aufrufen:

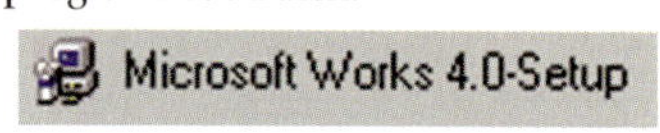


Das ist insofern interessant, daß Sie unbenötigte Teile jederzeit entfernen oder – falls Sie vorschnell mal etwas von der Festplatte runtergeschmissen haben – auch wieder hinzufügen können. Sie können so auch das gesamte Programm wieder komplett löschen oder – bei einem unerwarteten Fehler – die gesamte Installation von Diskette oder CD-ROM wiederholen. Deshalb nennt Microsoft dies übrigens auch „Wartung“:

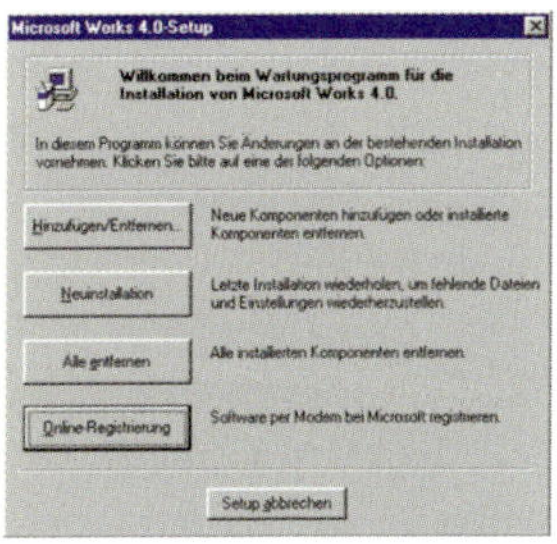


Besonders interessant ist dabei sicher die Auswahl 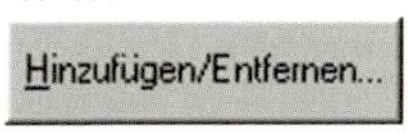 . Nach einem Mausklick auf diese Schaltfläche wird ein neues Fenster sichtbar, in dem Sie gezielt einige Programmteile mehr benötigen:

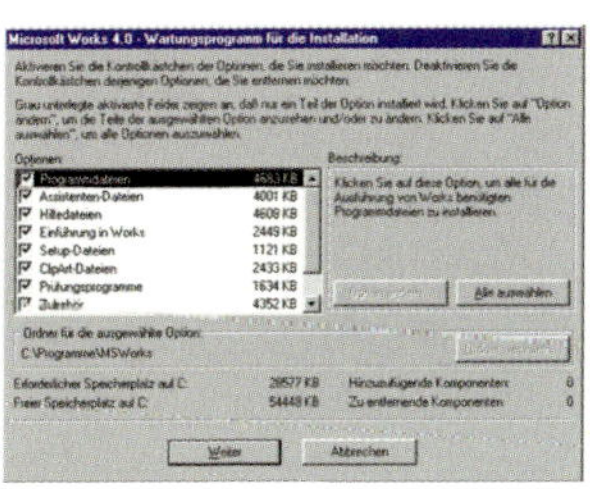


Ein kleines Beispiel soll zeigen, wie's funktioniert:

**1** Angenommen, Sie arbeiten überhaupt nicht mit den Clipart-Bildern von Works. Also weg damit, weil sie immerhin fast zweieinhalb MByte Festplattenkapazität beanspruchen, wie folgender Eintrag zeigt:

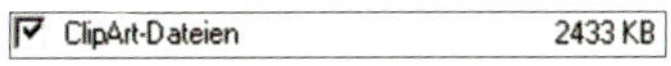


**2** Löschen Sie mit einem Mausklick darauf das Häkchen. Damit weiß Works, daß die Clipart-Bilder für Sie uninteressnt sind und gelöscht werden sollen.

**3** Sobald Sie auf   klicken, fragt Works sicherheitshalber noch einmal nach, ob alles in Ordnung ist:

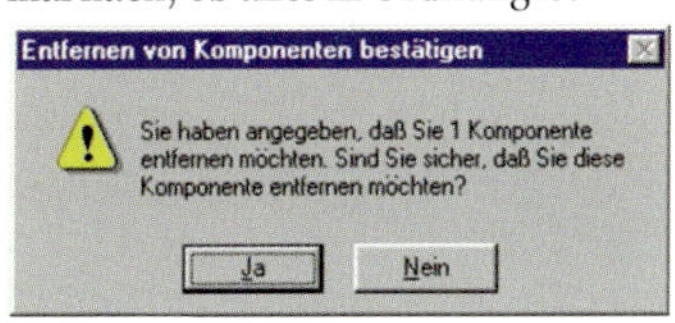


**4** Falls Sie sich zuvor nicht vertan haben, klicken Sie entschlossen auf  .

**5** Nun geht's blitzschnell, Works löscht alle Clipart-Bilder und meldet anschließend das Ende der Installation.

6 Doch aus Versehen die Bilder gelöscht? Kein Problem: Starten Sie wie beschrieben das Installationsprogramm erneut, und versehen Sie im Punkt 2 den Eintrag mit einem Mausklick wieder mit einem Häkchen. Dann geht's ebenfalls wie beschrieben wieder – mit einem Unterschied: Hoffentlich haben Sie noch irgendwo die Originaldisketten (oder die CD) zur Hand. Denn die benötigen Sie natürlich wieder, damit alles wieder von den Disketten auf die Festplatte übertragen werden kann.

**! Sicherheitskopien**

Sie haben doch sicherlich von den Disketten inzwischen längst eine Sicherheitskopie hergestellt? Wenn nicht, sollten Sie das schnellstens nachholen. Sie müssen dazu nicht unbedingt sieben neue Disketten verwenden. Wenn Sie inzwischen stolzer Besitzer eines ZIP-Laufwerkes sind, können Sie alle Originaldisketten auch auf eine ZIP-Diskette kopieren.

Doch nun genug über die Installation. Bis hierhin haben Sie alles (hoffentlich) interessiert verfolgt? Nun sind Sie bestimmt neugierig, was Works denn so alles zu bieten hat. Darum geht es denn auch gleich weiter: Der erste Start von Works steht bevor.

Aber noch einmal zur Erinnerung: Bücher, die alle möglichen Funktionen von Works im Stile eines ausführlichen Handbuchs (das Microsoft ja nicht mehr mitliefert), gibt es schon zur Genüge. Erwarten Sie hier also bitte nicht, daß ab jetzt jeder Menübefehl ausführlichst beschrieben und erläutert wird.

Experimentieren Sie selbst mit Works. Nur so lernen Sie das Programm und seine Fähigkeiten wirklich kennen. Wichtiger als die allgemeinen Grundlagen sind typische Aufgabenstellungen und Probleme, die sich bei der Arbeit mit Works ergeben und die mitunter pfiffige Lösungen erfordern.

Da aber bestimmt einige Leser dabei sind, die Works noch niemals kennengelernt haben, geht es jetzt darum, das neue Programm etwas genauer vorzustellen. Und wie schon zu Beginn des Kapitels erwähnt: Wenn Sie mit Works schon etwas vertraut sind, können Sie viele Abschnitte des nächsten Kapitels einfach überschlagen. Allerdings: Ein paar nützliche Tips und Tricks finden Sie auch schon darin …

# 3 Mein Name ist Works, Works für Windows

Der große Moment steht nun endlich bevor: der erste Start von Works. Am schnellsten geht's natürlich mit einem

Doppelklick auf 

auf dem Desktop. Ebenfalls möglich ist der Programmstart aber auch über

, dann

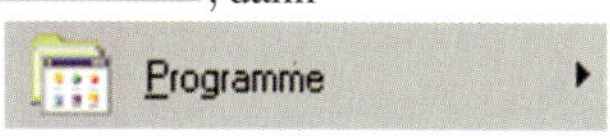

,

weiter mit

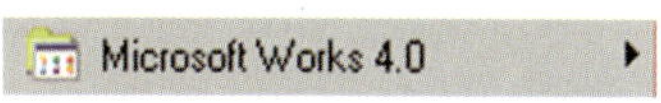


> **! Weg durch Menüs**
>
> Sie werden es längst kennen oder schon bemerkt haben: Immer wenn in einem Menüeintrag auf der rechten Seite ein schwarzer Pfeil zu sehen ist, versteckt sich ein weiteres Menü dahinter. Dieses wird sichtbar, sobald Sie den Mauszeiger auf den Menüzeiger setzen. Sie müssen dann nicht einmal klicken – was allerdings das nächste Menü etwas schneller aufruft.

und nun mit einem Mausklick auf den

Eintrag 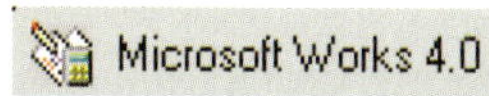

.

Es gibt noch eine dritte Variante, Works – oder besser ein Teilprogramm wie die Textverarbeitung – von der Windows-Oberfläche aus zu starten. Doch darüber finden Sie unter den Tips zu diesem Kapitel noch einiges mehr, weil Sie bei dieser Methode einen „Fehler" erleben, dessen Beseitigung Sie natürlich erfahren werden. Die anderen Tips in diesem Kapitel beschäftigen sich übrigens ebenfalls mit Veränderungen der nachfolgend beschriebenen Grundeinstellungen.

Und die bescheren Ihnen zunächst eine Überraschung: Beim allerersten Startversuch sehen Sie zwar das Titelbild von Works:

Doch danach landen Sie nicht gleich im Programm. Oder genauer: Sie sehen keine Oberfläche, in der Sie beispielsweise sofort mit der Eingabe eines Textes beginnen könnten. Vielmehr erscheint als erstes ein Fenster, in dem Sie gefragt werden, ob Sie jetzt nicht lieber eine kurze Einführung sehen wollen:

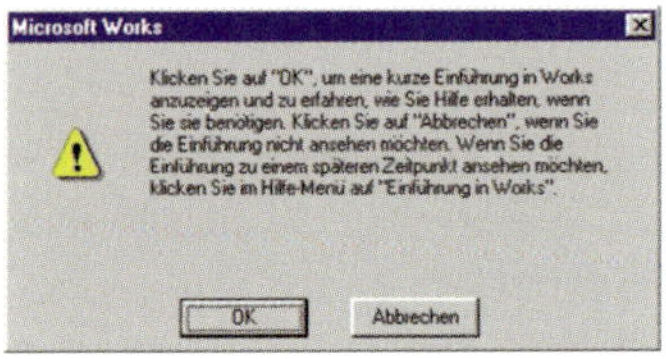


Wenn Sie noch niemals mit Works gearbeitet haben, sollten Sie das wirklich tun und hier auf OK klicken. Die Einführung dauert nicht lange, etwa zehn Minuten müssen Sie dafür investieren. Aber das lohnt sich auf jeden Fall, denn in Wort und anschaulichen Bildern erfahren Sie Schritt für Schritt im Überblick, was Works so alles kann. Sie können diese Einführung natürlich auch jederzeit beenden, indem Sie auf Fertig klicken.

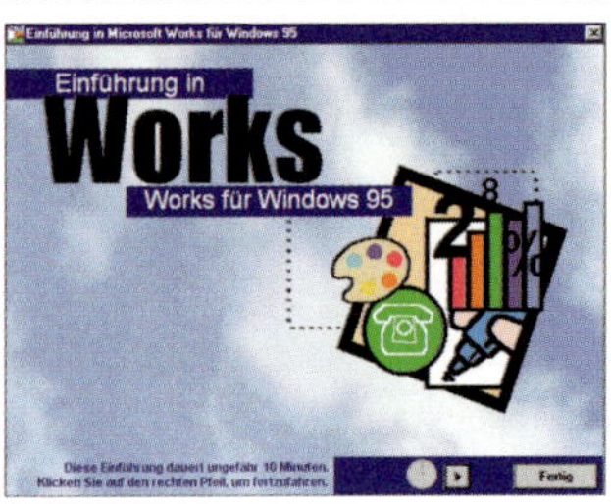


Ansonsten können Sie mit Mausklick auf ▶ weitermachen.

Wenn Sie aber nach all der Mühe der Installation jetzt endlich das Programm selbst kennenlernen wollen, klicken Sie einfach auf Abbrechen.

**! Programmeinführung**

Sie können die Works-Einführung auch später noch anschauen. Sie läßt sich wie das Programm selbst über das Menü Start starten. Die genaue Vorgehensweise finden Sie schon zu Beginn dieses Kapitels, nur daß Sie diesmal zuletzt den Befehl

Einführung in Microsoft Works 4.0

anklicken müssen.

# Auf geht's: das Start-Fenster

Jetzt geht es aber wirklich richtig los. Keine Ablenkung mehr, sondern mitten rein in Works: Das allererste, was Ihnen das Programm nun anbietet, ist sozusagen die Schaltzentrale, ein Fenster,

das deswegen auch völlig zu Recht den Titel **Works-Start** trägt.
Es erinnert an den guten alten Karteikasten: Es sind insgesamt drei Registerkarten zu erkennen. Halt, eigentlich ist ja nur eine Karte selbst zu sehen, nämlich die, die zu der Überschrift (dem Registerreiter)

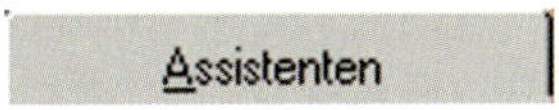


gehört. Aber es ist unschwer zu sehen, daß davon zwei weitere Karten verdeckt werden. Mit einem Mausklick auf die zugehörige Überschrift können Sie die zugehörige Karte in den Vordergrund bringen:

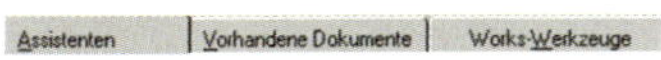


Daß Works Ihnen als erstes die Karte

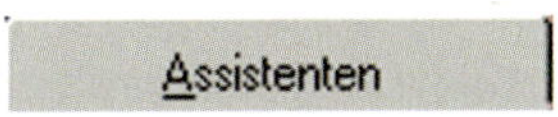


zeigt, hat schon seine Bedeutung. Vor allem für noch unerfahrene Works-Anwender, die das Programm noch kennenlernen und dennoch schnell schon mal einen ersten Brief schreiben oder ein Adreßbuch erstellen wollen, sind die Assistenten eine enorme Hilfe.
Stellen Sie sich einen Assistenten einfach als jemanden vor, dem Sie nur sagen müssen, was Sie erledigen wollen. Beispiel: Sie benötigen schnell mal ein Rechnungsformular. Rufen Sie den passenden Assistenten auf, schlägt der Ihnen eine Gestaltung vor, Sie suchen sich das passende Formular aus, und schon haben Sie ein Formular auf dem Bildschirm, in das Sie nur noch Ihre eigenen Daten eintragen müssen. Sie brauchen sich also keinerlei Gedanken über Aufbau und Gestaltung machen. Ist das nicht praktisch?
Solche Assistenten gibt es für alle möglichen Aufgaben, die in bestimmte Bereiche sinnvoll zusammengefaßt sind. Das sind hier sozusagen die Überschriften, hinter denen dann die unterschiedlichsten Assistenten zu finden sind:

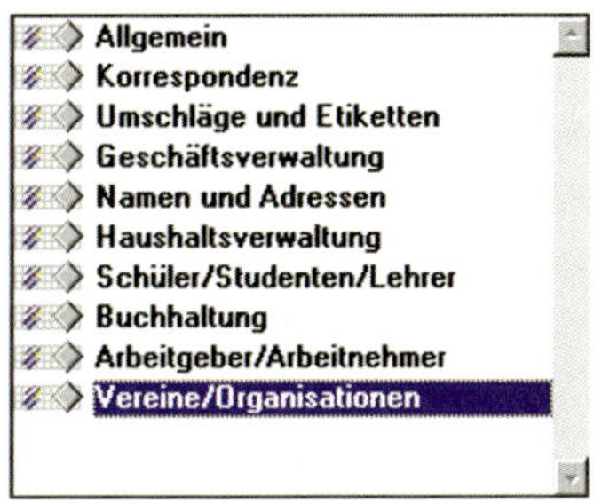


Sehen Sie die kleinen Rautenzeichen vor den Überschriften? Sobald Sie auf eine Überschrift klicken, wird darunter eine Liste sichtbar, in der die zu diesem Thema gehörenden Assistenten sichtbar sind. Und aus der Raute wird ein kleines graues Quadrat:

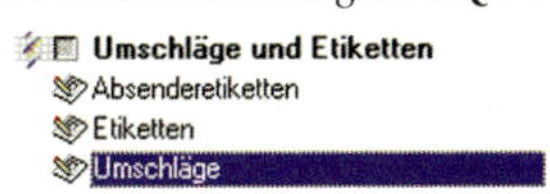


Mit einem erneuten Klick auf die Überschrift wird die Liste übrigens wieder geschlossen.

Obwohl die kleinen Symbole vor den Assistenten-Namen nicht besonders gut zu erkennen sind, zeigen sie doch sofort, welches Teilprogramm von Works damit gestartet wird:

: Unschwer an Stift und Blatt Papier zu erkennen, daß hier in der Textverarbeitung gearbeitet wird.

: Registerkarten helfen beim Festhalten von Informationen. Hier ist also die Datenbank gemeint.

: Mit dem Taschenrechner läßt sich gut rechnen. Dies gilt natürlich auch für die Tabellenkalkulation von Works.

: Das Telefon deutet an, daß hier mit der Datenfernübertragung gearbeitet wird.

Sicher sind Sie jetzt neugierig und lassen sich alle vorhandenen Assistenten der Reihe nach anzeigen. Nehmen Sie sich ruhig die Zeit. Wundern Sie sich aber nicht, wenn Sie feststellen, daß einige Assistenten mehrfach auftauchen. Das ist ja auch kein Wunder: Im privaten Bereich werden natürlich ebenso Briefe geschrieben wie im Geschäftsleben. Daher ist der Briefe-Assistent zu Recht mehrfach vertreten.

Auch wenn es jetzt natürlich reizt, gleich einen der Assistenten auszuprobieren: Etwas Geduld noch, denn die beiden anderen Registerkarten sind für einen effektiven Works-Start nicht ganz unwichtig.

# Ordentlich: das Archiv

Die mittlere Registerkarte trägt den Namen

.

Klicken Sie darauf, wird die Karte sichtbar. Nach dem ersten Start von Works finden Sie hier aber lediglich ein gähnend leeres Fenster:

Der Name deutet schon an, welche Funktion diese Registerkarte hat. Alle Dokumente, die Sie einmal erstellt und gespeichert haben, werden hier normalerweise aufgelistet.

Es ist ja kaum anzunehmen, daß Sie nach jedem Neustart von Works immer erst einen Assistenten starten. Viel häufiger werden Sie an einem schon vorhandenen Dokument eine Ergänzung oder kleine Veränderung vornehmen. Zum Beispiel die Anschrift in einem Adreßbuch ändern. Dann ist es natürlich einfacher, diese Registerkarte aufzurufen und einfach das gewünschte Dokument anzuklicken, das dann sofort gestartet wird. Das zuletzt bearbeitete Dokument steht immer ganz oben in der Liste:

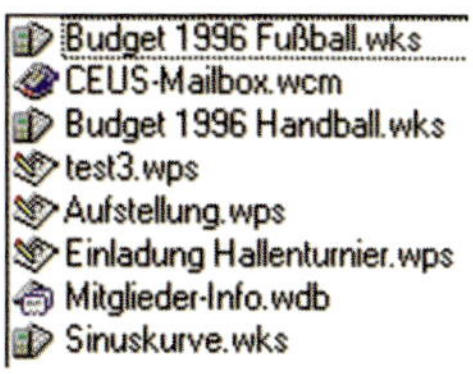


Und wie Sie unschwer erkennen, tauchen auch hier die winzigen Symbole wieder auf, die die Art des Dokuments kennzeichnen.

Achten Sie auch einmal auf die unterschiedlichen Dateiendungen. Diese vergibt Works normalerweise automatisch. An den Endungen können Sie daher auch sofort erkennen, woher ein Dokument stammt:

| | |
|---|---|
| **wps:** | Textverarbeitung |
| **wdb:** | Datenbank |
| **wks:** | Tabellenkalkulation |
| **wcm:** | Datenfernübertragung |

Ehrlich gesagt: Die Bedeutung der Endungen können (und werden Sie bestimmt) schnell vergessen, weil die Symbole viel einprägsamer sind und Works sich selbst beim Speichern darum kümmert, welche Endung richtig ist. Wann immer Sie später mal ein Dokument speichern, wird es genügen, lediglich den Namen anzugeben.

Sollte mal ein Dateiname nicht in der Liste auftauchen (es werden nur die letzten acht bearbeiteten Dokumente gezeigt), kein Problem: Klicken Sie auf

Sofort wird kleines Fenster sichtbar, das weitere Dokumente zeigt oder die Suche nach einer bestimmten Datei in einem anderen Ordner erlaubt.

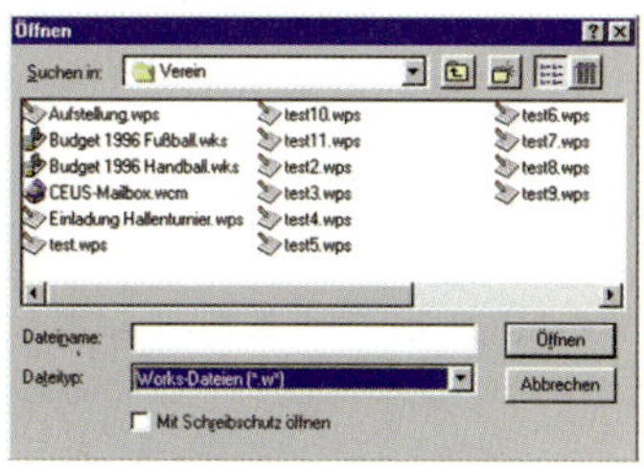


# Im Kasten: die Werkzeuge

Weiter geht's nun zur dritten Registerkarte mit der Überschrift

Sie wollen beim Start von Works weder irgendeinen Assistenten einsetzen noch ein vorhandenes Dokument weiter bearbeiten? Dann bleibt nur diese Registerkarte, die Sie per Mausklick in den Vordergrund bringen.

Von hier aus können Sie nun jeden der vier Programmteile von Works mit einem leeren Dokument starten. Sicher fällt Ihnen sofort auf, daß hier die schon erwähnten Symbole für die unterschiedlichen Programmteile wieder zu sehen sind. Klicken Sie zum Starten jeweils auf eines der Symbole.

Wenn Sie nun auf  für die Textverarbeitung oder auch auf

 für die Tabellenkalkulation klicken, präsentiert sich Works nahezu mit einer identischen Oberfläche, die Ihnen hier mit den wichtigsten Elementen am Beispiel der Textverarbeitung kurz vorgestellt werden soll (siehe dazu Bild rechts):

**1:** Das ist die Titelzeile des Programms.

**2:** Die Menüzeile. Wenn Sie auf einen der Menübefehle klicken, werden die Befehle dieses Menüs sichtbar.

**3:** Die Bilder in der Symbolleiste führen nach einem Mausklick häufig benutzte Befehle aus. Das erspart oft den umständlichen Weg über die Menüzeile.

**4:** Vorläufiger Name des aktuellen Dokuments. Erst wenn Sie es gespeichert haben, steht hier der von Ihnen vergebene Dateiname.

**5:** Klicken Sie hier hinein, können Sie eine Kopfzeile schreiben. Diese wird dann auf jeder neuen Seite des Dokuments ebenfalls angezeigt (und natürlich auch ausgedruckt. Zum Beispiel könnten hier Seitenzahlen stehen. Wenn Sie zum unteren Rand einer Seite kommen, finden Sie dort auch eine Fußzeile.

**6:** Das ist die eigentliche Schreibfläche für Ihren Text.

**7:** Eine automatische Hilfestellung von Works.

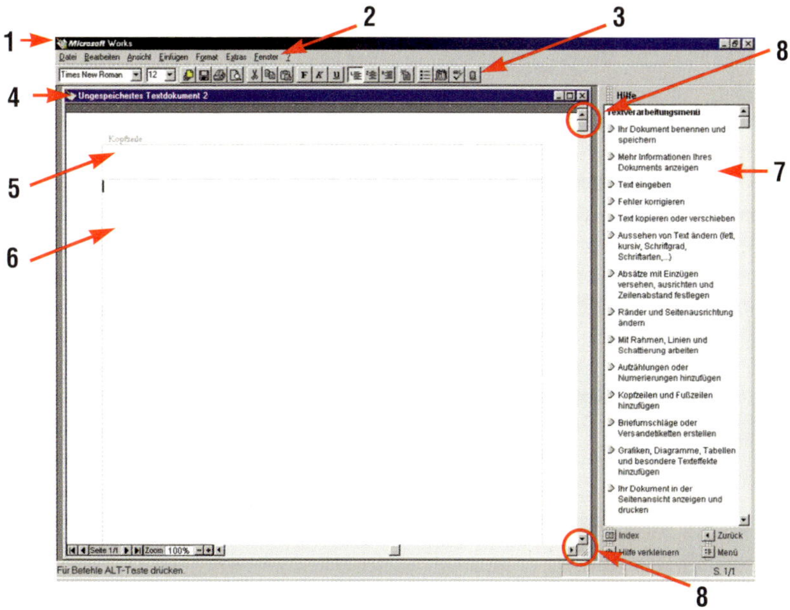


**8:** Mit den Pfeilen der Bildlaufleiste, die am rechten und unteren Seitenrand zu sehen ist, können Sie die Seite am Bildschirm nach oben und unten sowie nach rechts oder links verschieben.

Das Hilfe-Fenster auf der rechten Seite können Sie übrigens jederzeit unsichtbar machen, wenn Sie auf

klicken.

Etwas anders präsentieren sich die Datenbank und die Datenfernübertragung von Works. Wie das genau aussieht, werden Sie später noch erfahren, wenn diese beiden Programmteile etwas näher unter die Lupe genommen werden.

Soviel auch zu den allgemeinen Vorstellungen von Works. Wie Sie sicher bisher bemerkt haben, ist die Bedienung ausgesprochen einfach und stellt selbst unerfahrene Anwender kaum vor Probleme. Und nun werden Sie sicherlich erst einmal einiges von dem ausprobieren wollen, was Sie gerade kennengelernt haben. Nur zu: Machen Sie sich ruhig etwas vertraut mit dem Programm. Und wenn Sie dann Lust dazu haben, lesen Sie die folgenden Tips, die einige typische Probleme beim Programmstart beheben.

# Works-Werzeuge immer im Vordergrund anzeigen

So nützlich die Assistenten von Works auch sind: Sie werden sie nach einiger Zeit nur noch gelegentlich benötigen. Dann ist es aber mehr als lästig, wenn im Fenster Works-Start immer die Registerkarte

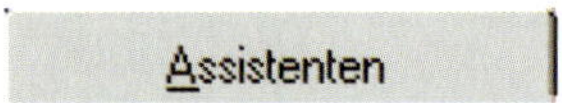


im Vordergrund ist. Um zum Beispiel auf die Karte

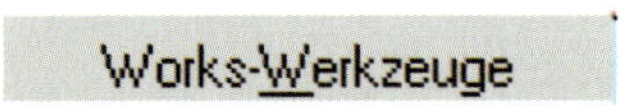


zu wechseln, ist dann immer ein zusätzlicher und überflüssiger Mausklick nötig. Das läßt sich aber sehr einfach ändern:

**1** Sobald Sie Works gestartet haben und das Fenster Works-Start sehen, klicken Sie auf Abbrechen.

**2** Im Menü Extras klicken Sie auf den Befehl Einstellungen... .

**3** Daraufhin wird ein Fenster sichtbar, in dem Sie einige Vorgaben für Works einstellen können. Mehrere Registerkarten sind zu erkennen. Klikken Sie auf

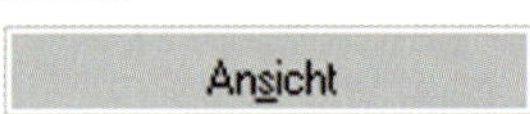


.

**4** Rechts sehen Sie, daß in der Tat die Registerkarte mit den Assistenten als Vorgabe eingestellt ist. Der Eintrag ist mit einem Punkt markiert.

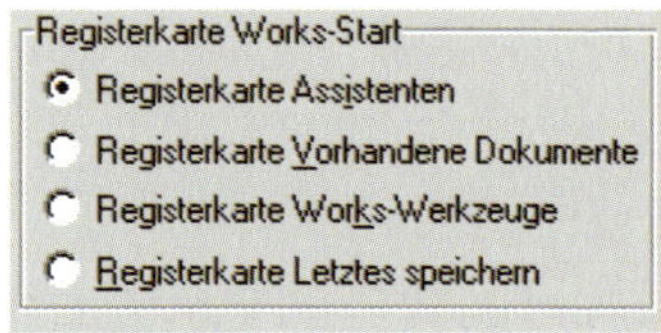


Sie können nun die gewünschte Registerkarte festlegen, indem Sie einfach in den leeren weißen Kreis davor klicken. Damit wird dieser Eintrag markiert:

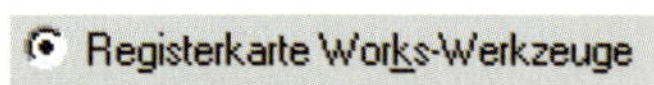


**5** Schließen Sie nun das Fenster mit einem Mausklick auf

.

**6** Jetzt können Sie sofort den Erfolg testen: Klicken Sie im Menü Datei auf den Befehl Neu.

Nun ist wie gewünscht die Registerkarte

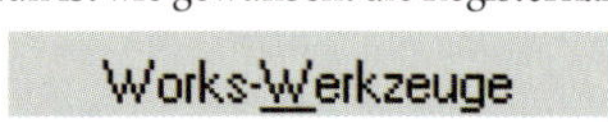


sofort im Vordergrund. Und dies gilt natürlich dann auch für jeden Neustart von Works.

> **! Tastatur-Befehle**
>
> So wie ein Mausklick auf eines der Symbole in der Symbolleiste so manches mühsame Geklicke in den Menüs ersparen kann, so sinnvoll ist es auch oft, sich einige Tastenkombinationen zu merken. Damit ist gemeint, daß Sie zwei oder drei Tasten gleichzeitig drücken müssen. Viele Befehle lassen sich nämlich über eine solche Tastenkombination viel schneller ausführen – und Sie müssen nicht erst die Hand von der Tastatur zur Maus und wieder zurück bewegen. Beispiel: Statt der in Schritt 6 beschriebenen Vorgehensweise können Sie weitaus schneller die Tasten Strg und N drücken (N wie „Neu“).

# Vorlagen statt allgemeine Assistenten anzeigen lassen

Wenn Sie immer mit bestimmten Vorlagen für Ihre Dokumente arbeiten, ist der erste Tip nicht unbedingt die beste Lösung. Schön wär's dann ja, die Vorlagen schon beim Start-Fenster vor Augen zu haben, um sie mit einem Mausklick zu starten. Auch das ist eine kleine Arbeitserleichterung, die sich rasch einstellen läßt.

Vielleicht ist Ihnen ja schon aufgefallen, daß im Fenster Works-Start auf der Registerkarte

Assistenten

immer nur der Bereich „Allgemein“ mit seinen Assistenten als erstes zu sehen ist:

Wenn Sie irgendwann einmal für Ihre Dokumente spezielle Vorlagen erstellt haben (keine Sorge: wie das geht, werden Sie im Kapitel 4 zur Textverarbeitung noch erfahren), werden Sie sicherlich den Wunsch haben, diese Vorlagen als erstes zu sehen. Kein Problem mit dem richtigen Tip:

**1** Auf der Registerkarte

Assistenten

klicken Sie auf

Es spielt dabei keine Rolle, ob Sie auf das Bild oder auf den Text klicken.

**2** Daraufhin zeigt Works das folgende kleine Fenster:

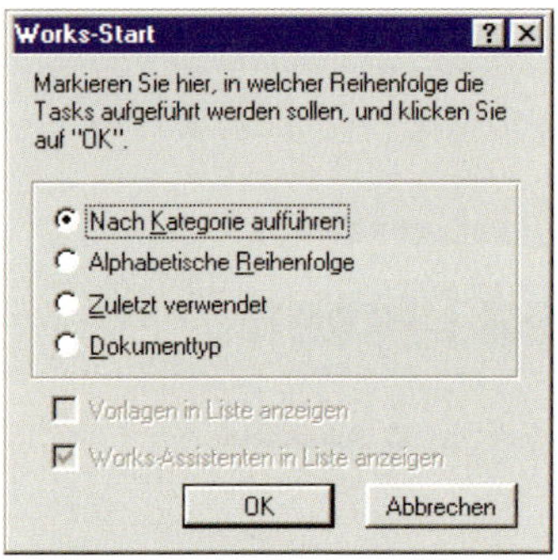


Per Mausklick in den weißen Kreis vor Dokumenttyp markieren Sie nun den entsprechenden Eintrag: Dokumenttyp.

**3** Sofort wird im unteren Bereich folgender Eintrag aktiv: Vorlagen in Liste anzeigen.

Klicken Sie auf das leere weiße Quadrat, wird auch der Eintrag direkt darunter aktiv: Die beiden Häkchen zeigen, daß die Einstellungen eingeschaltet sind.

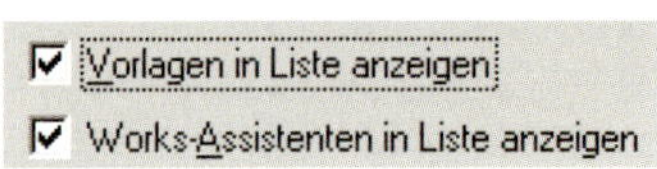


**4** Nun können Sie überlegen, ob Sie die Assistenten überhaupt noch sehen wollen. In diesem Fall löschen Sie das entsprechende Häkchen mit einem Mausklick darauf:

**5** Nach einem Mausklick auf

sehen Sie sofort den Erfolg: Die Registerkarte

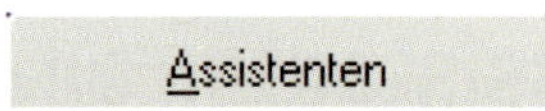


zeigt nur noch Ihre häufig benutzten Vorlagen an. Die Assistenten sind verschwunden.

**6** Sie benötigen doch irgendwann die Assistenten wieder? Kein Problem: Wiederholen Sie die Vorgehensweise ab Schritt 1, und stellen Sie den Originalzustand wie in Schritt 2 im Bild gezeigt wieder her.

# Deutsches Programm, englische Vorlage

Zu Beginn dieses Kapitels haben Sie es schon gehört: Es gibt direkt von Windows 95 aus die Möglichkeit, ein Works-Dokument zu erstellen und auf der Windows-Oberfläche als Symbol abzulegen. Dann genügt ein Doppelklick auf dieses Symbol, um Works zu starten und das zugehörige Dokument gleich im richtigen Programmteil zu öffnen:

**1** Klicken Sie mit der rechten Maustaste auf eine freie Stelle des Windows-Desktops. Ein Menü wird sichtbar. Setzen Sie den Mauszeiger auf

Neu ▸ ,

ist ein weiteres Menü zu sehen.

**2** In diesem Menü sind auch einige Einträge zu erkennen, die mit Works für Windows 4.0 zusammenhängen:

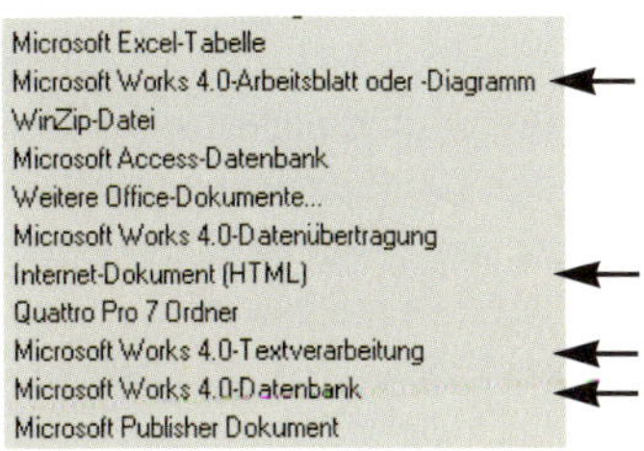


Klicken Sie beispielsweise einmal auf Microsoft Works 4.0-Textverarbeitung .

Anschließend ist sofort ein neues Symbol auf dem Desktop zu sehen. Da Windows einen allgemeinen Namen vorschlägt, den Sie sicherlich noch ändern wollen, ist der Name bereits markiert. Sie könnten also sofort den neuen Namen eintippen.

Achten Sie nur darauf, die Dateiendung .wps nicht zu überschreiben: Hier ist sie eindeutiges Kennzeichen für die Textverarbeitung. Vergeben Sie eine andere Endung, meldet sich aber Windows sofort mit einer Nachfrage. Jetzt ein Doppelklick auf dieses neue Symbol, und Works startet sofort mit der Textverarbeitung.

**3** Allerdings gibt es dabei ein kleines Problem (das übrigens bei dieser Vorgehensweise kein ursprüngliches Works-Problem ist, sondern auch für andere Anwendungen wie Winword gilt!): Neue Dokumente erhalten dann dummerweise einige Einstellungen, die zwar in den USA ganz praktisch, in Deutschland aber eher hinderlich sind. So wird die Seitengröße dabei auf das US-Format Letter eingerichtet und nicht auf das deutsche A4. Es gibt viele Drukker, die damit dann etliche Probleme bekommen. Und der Ausweg, nachträglich alles immer wieder auf A4 umzustellen, ist ja wohl nur als reine Notlösung zu sehen. Klicken Sie doch einmal im Menü Datei auf den Befehl Seite einrichten... .

**4** Nach einem Mausklick auf Zufuhr, Größe & Ausrichtung können Sie unten in der Tat erkennen, daß hier die amerikanischen Vorgaben eingestellt sind:

Format: Letter

Der Grund: Starten Sie Works wie bisher beschrieben über den Desktop, wird als Grundlage eine Art Vorlagendatei hergenommen, die überraschenderweise gar nicht im Works-Ordner zu finden ist. Vielmehr ist sie sehr gut versteckt in einem speziellen Windows-Ordner.

**5** Um diese versteckten Vorlagen zu bearbeiten, brechen Sie jetzt die Bearbeitung des aktuellen Dokuments erst einmal ab. Wählen Sie dazu im Menü Datei den Befehl Schließen. Schneller geht's mit den Tasten Strg und W.

**6** Bei der Frage, ob Änderungen gespeichert werden sollen, klicken Sie auf Nein.

**7** Works zeigt nun das Fenster Works-Start. Hier klicken Sie zuerst auf Vorhandene Dokumente und dann unten auf

Ein Dokument öffnen, das hier nicht aufgeführt ist

**8** Ein Fenster erscheint, das standardmäßig den Windows-Ordner

Suchen in: Windows

und alle darin befindlichen Works-Dateien und weitere Ordner zeigt. Klicken Sie rechts unter der Fensteranzeige auf ▶ in der Bildlaufleiste, um weitere Einträge zu sehen. Sie benötigen nämlich folgenden Ordner: ShellNew

**9** Der taucht bei Ihnen in der Übersicht gar nicht auf? Jetzt nicht gleich losschimpfen: Das ist völlig normal, weil dieser Ordner eigentlich ein „versteckter" Ordner ist, normalerweise also auch gar nicht zu sehen ist. Sie können ihn aber sehr schnell aus seinem Versteck zurückholen, wenn Sie den Explorer starten und im Menü Ansicht den Befehl Optionen... anklicken. Per Mausklick stellen Sie nun

Alle Dateien anzeigen

ein und schließen das Fenster mit

OK.

Beenden Sie dann den Explorer, und kehren Sie zu Works zurück.

**10** Keine falsche Hoffnung: Während der Explorer den bisher versteckten Ordner schon anzeigt, hat Works davon noch nichts mitbekommen. Es hilft nichts (kostet aber nur ein paar Mausklicke): Schließen Sie das Fenster mit Abbrechen, und wiederholen Sie die Schritte 7 und 8. Diesmal werden Sie mit Sicherheit fündig und sehen ShellNew.

**11** Klicken Sie zweimal darauf. Anschließend sehen Sie im Fenster eine Liste von Dateien – zumindest vier Dateien von Works und eventuell noch weitere Dateien, deren Endung mit einem „w" beginnt. Das hängt davon ab, welche anderen Anwendungen sich noch so alles auf Ihrem Computer tummeln. Wichtig sind hier aber nur die vier Works-Dateien, die am Namen sehr einfach zu erkennen sind.

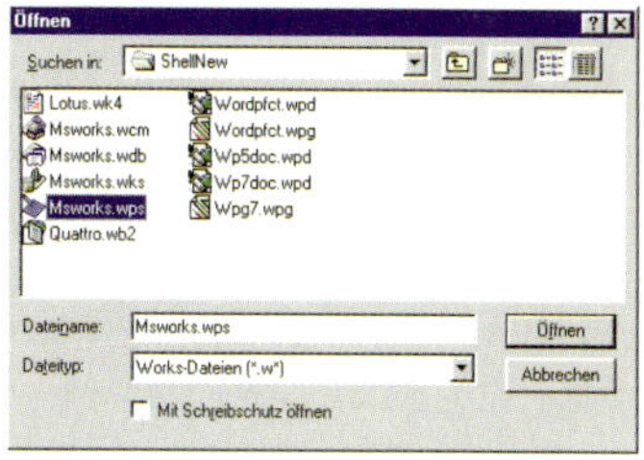


**12** Achtung, erinnern Sie sich an die unterschiedlichen Symbole vor den Namen? Für dieses Beispiel wurde ja ein Textdokument neu erstellt, darum müssen Sie jetzt auch wie im Bild die zugehörige Textdatei anklicken.

Mit Mausklick auf Öffnen wird die Datei in die Textverarbeitung geladen.

**13** Die Datei selbst enthält nicht eine einzige Zeile Text. Das soll sie ja auch gar nicht. Dennoch sind schon ein paar Grundeinstellungen vorhanden, die Sie nun ändern sollten. Dazu gehört als erstes natürlich die Papiergröße, die von Letter auf A4 verändert werden muß. Klicken Sie dazu im Menü Datei auf den Befehl Seite einrichten... . Nach einem Mausklick auf

Zufuhr, Größe & Ausrichtung

wird die amerikanische Seitengröße sichtbar.

**14** Klicken Sie auf den kleinen Pfeil rechts neben dem Eintrag ▾. Eine Liste mit weiteren Papierformaten wird sichtbar. Suchen Sie mit Hilfe der Bildlaufleiste das A4-Format und klicken es an. Schließen Sie dann das Fenster mit Mausklick auf

[OK].

**15** Jetzt könnten Sie zum Beispiel noch die Schriftart oder die Schriftgröße verändern, wenn Ihnen die Vorgabe nicht paßt. Sind alle Änderungen erledigt, drücken Sie die Tasten [Strg] und [S]. Damit werden die Änderungen gespeichert. Mit den Tasten [Strg] und [W] wird das Dokument geschlossen. (Abwechslung muß sein: Natürlich können Sie das alles auch mit der Maus erledigen. Die zugehörigen Befehle stecken im Menü Datei.)

**16** Sie ahnen die weitere Vorgehensweise: Was Sie bei der Vorlage für ein Textdokument erledigt haben, müssen Sie nun auch für die drei anderen Vorlagendateien erledigen, die ja ebenfalls noch im Ordner ShellNew vorhanden sind. Aber: Jetzt geht es natürlich etwas schneller, und die Mühe lohnt, wenn Sie häufiger mal neue Works-Dokumente vom Windows-Desktop aus erstellen.

# Ordnung muß sein: der passende Ordner für alle Zwecke

Natürlich können Sie mit Works so arbeiten wie mit einer technisch hochwertigen Schreibmaschine: Brief schreiben und ausdrucken, fertig. Works beenden, Computer ausschalten, das war's. Wenn Sie aber am nächsten Tag einen fast gleichlautenden Brief noch einmal schreiben müssen, fängt die ganze Arbeit wieder von vorne an. Da hat der Computer eben doch so seine Vorzüge: Sie können alle Texte auf der Festplatte oder auch auf einer Diskette speichern. Das ist praktisch, wenn Sie zum Beispiel mit einem Text noch nicht fertig geworden sind. Speichern Sie ihn, und beim nächsten Mal können Sie sofort weiterarbeiten.

Vorausgesetzt, Sie finden Ihren Text auch sofort wieder. Zum Glück landen bei Works ja alle neuen Dokumente in einem speziellen Ordner, so daß die Suche nach einem speziellen Text schon mal eingeschränkt wird. Allerdings: Stellen Sie sich mal eine Schublade in einem Schrank vor, in die Sie alles mögliche hineinstopfen und die so immer voller wird. So richtig ordentlich ist das wohl kaum. Works speichert Ihre privaten Briefe normalerweise in derselben Schublade (=Ordner auf der Festplatte), in der auch alle Briefe abgelegt werden, die Sie für den Verein schreiben. Schlimmer noch: Nicht nur Texte landen dort, sondern auch alles andere, was Sie mit Works erstellen: private Adreßbücher, die Mitgliederliste des Vereins, die Haushaltsplanung oder die Kreditberechnung.

Fangen Sie am besten gar nicht erst mit diesem vorprogrammierten Chaos an, sondern überlegen Sie sich von vornherein ein sinnvolles Ablagesystem zum Speichern Ihrer Daten. So behalten Sie dann auch immer die Übersicht. Und das ist gar nicht so schwer: Sie müssen dazu nicht einmal Works verlassen, sondern können alles direkt aus dem Programm heraus erledigen. Wie wär's mit einem Ordner namens „Privat" und einem Ordner namens „Verein"? Kein Problem:

**1** Wenn Sie gerade mit der Textverarbeitung von Works arbeiten, klikken Sie auf das Menü Datei und dann auf den Befehl Speichern unter... . Oder schneller: Drücken Sie gleichzeitig die Tasten Strg und S. Mit beiden Methoden bringen Sie ein neues Fenster mit dem Titel Speichern unter auf den Bildschirm.

**2** Oben im Fenster können Sie erkennen, daß Works neue Texte in einem Ordner namens „Dokumente" speichern will:

Rechts daneben sind zwei kleine Symbole. Klicken Sie jetzt auf das rechte Symbol .

**3** Sofort wird im Fenster folgendes sichtbar: 

.
Der Text, genauer: der Name für den neuen Ordner, ist freundlicherweise schon markiert. Sie können jetzt sofort loslegen und einen neuen Namen eintippen. Der vorhandene wird dabei überschrieben. Zum Abschluß drücken Sie noch die ↵-Taste. Schon haben Sie Ihren ersten Ordner angelegt:



.

**4** Und wenn Sie schon mal dabei sind, sollten Sie auch gleich den Vereinsordner erzeugen. Klicken Sie also wieder auf 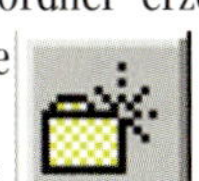, und benennen Sie den neuen Ordner entsprechend. Danach sind zwei Ordner im Fenster zu sehen:

Privat
Verein
.

**5** Wenn Sie an dieser Stelle gar nichts speichern, sondern lediglich neue Ordner erzeugen wollen, klicken Sie nun auf Abbrechen.
Keine Angst: Die neuen Ordner sind trotzdem noch vorhanden.

### ! Ordner erstellen

Sie können übrigens mit der hier beschriebenen Methoden an beliebiger Stelle der Festplatte (oder sogar auf einer anderen Festplatte) einen neuen Ordner erstellen. Klicken Sie dazu oben rechts neben der Ordneranzeige auf ▾. Sofort klappt ein kleines Zusatzfenster auf, in dem Sie die gewünschte Stelle für den neuen Ordner aussuchen können:

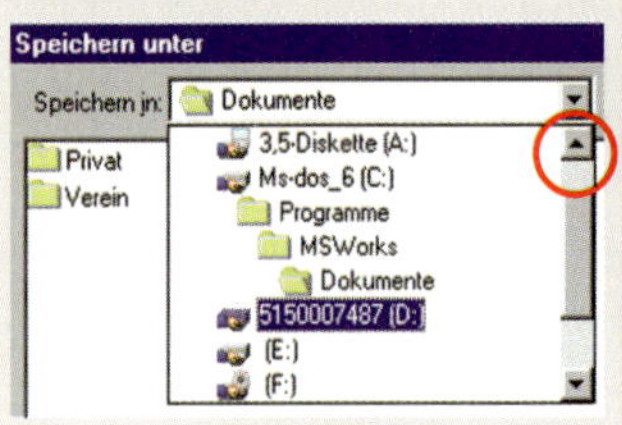


**6** Um jetzt direkt einen neuen Text in den neuen Vereinsordner zu speichern, doppelklicken Sie auf Verein. Sofort ändert sich auch oben die Anzeige im Fenster:

Speichern in: Verein

**7** Nun müssen Sie einen Dateinamen vergeben. Klicken Sie dazu in das leere Feld neben Dateiname:, und tippen Sie einen Namen ein. Vorteil von Works 4.0: Sie müssen hier nicht mehr auf die früheren Einschränkungen von maximal acht Zeichen für den Dateinamen Rücksicht nehmen, sondern können so richtig aussagekräftige Namen verwenden wie

Dateiname: Einladung Mitgliederversammlung August 1997

Nicht einmal um irgendeine Dateiendung müssen Sie sich bei Works kümmern. Works weiß ja, ob Sie gerade mit der Textverarbeitung oder mit einem anderen Modul arbeiten. Dementsprechend schlägt es bei einem Brief schon richtig folgendes vor:

Dateityp: Works-TV .

**8** Jetzt noch ein Mausklick auf Speichern, und schon landet die Einladung im richtigen Ordner. Genauso einfach läßt sich künftig Ihre Privatkorrespondenz ablegen.

Wenn Sie sich aber auch noch die Klikkerei im Schritt 7 ersparen wollen, lesen Sie doch mal den nächsten Tip. Dort erfahren Sie, wie Sie Works schon beim Programmstart beibringen können, immer den richtigen Ordner anzubieten.

# Immer die richtige Schublade finden

Sie haben es bestimmt schon bemerkt: Egal mit welchem Programmteil von Works Sie auch arbeiten, für alle neuen Texte, Kalkulationen oder auch Datenbanken bietet Works immer wieder denselben Ordner zum Speichern an. Denn Works schlägt Ihnen im Speichern-Fenster grundsätzlich folgendes vor, wenn Sie den Befehl Speichern unter... im Menü Datei wählen:

Speichern in: Dokumente

> **! Schneller speichern**
>
> Beim allerersten Speichern eines beliebigen neuen Dokuments können Sie auch den üblichen Befehl Speichern oder – Zeit ist Geld – noch schneller die Tasten Strg und S drücken, um dasselbe Fenster mit dem Titel Speichern unter zu sehen.

Im vorigen Abschnitt haben Sie auch schon für die richtige Ordnung gesorgt und jeweils einen neuen Ordner für private Dokumente und für Ihre Vereinstätigkeit angelegt. Wenn Sie nun die neue Einladung für die nächste Trainersitzung schreiben und sicherheitshalber speichern, soll der ja nicht im Ordner Dokumente, sondern natürlich im Vereinsordner Verein landen. Da der aber auch an ganz anderer Stelle auf der Festplatte liegen kann, müßten Sie sich jetzt mühsam durchklicken und den richtigen Ordner erst mal suchen. Falls Sie das vergessen sollten und die Einladung jetzt doch im Ordner Dokumente ablegen, wundern Sie sich später bestimmt einmal, wo der Brief geblieben ist. Außerdem ist die ganze Ordnung futsch.

Aber das lästige Durchklicken und Suchen muß unter Windows 95 gar nicht sein: Works (und auch jedes andere Programm) kann sich nämlich wie ein Chamäleon verhalten und mal den einen, mal den anderen Ordner als den Standard-Ordner zum Speichern anbieten. Arbeiten Sie doch einfach statt nur mit einer einzigen Verknüpfung, die auf dem Desktop von Windows zu sehen ist, gleich mit mehreren. So geht's:

**1** Auf dem Desktop von Windows klicken Sie mit der rechten Maustaste auf das Symbol für die Verknüpfung zu Works:

.

Das wird bei der Standardinstallation ja automatisch angelegt.

> **! Verknüpfung**
>
> Eine Verknüpfung erkennen Sie normalerweise an einem kleinen Pfeil links unten im Symbol.

**2** Ein Kontextmenü wird sichtbar. Klicken Sie darin auf den Befehl Verknüpfung erstellen.

Sofort wird auf dem Desktop ein neues Symbol sichtbar:

.

**3** Da Sie ohne große Umwege zum Ziel kommen sollen: Drücken Sie jetzt die Alt-Taste, und doppelklicken Sie auf das neue Symbol.

**4** Sofort wird ein Fenster sichtbar, das zwei Registerkarten anbietet. Klicken Sie hier auf Verknüpfung. Jetzt wird sofort sichtbar, warum Works Ihnen immer den Ordner Dokumente zum Speichern bietet. Der ist nämlich standardmäßig als Arbeitsverzeichnis eingestellt:

Arbeitsverzeichnis: C:\Programme\MSWorks\Dokumente

**5** Aber das läßt sich ja nun sehr schnell ändern. Im letzen Tip haben Sie ja zwei neue Ordner eingerichtet, in denen Sie Ihre Works-Daten künftig speichern: einmal Verein für alle Daten, die den Verein betreffen, und einmal Privat für Ihre privaten Angelegenheiten. Löschen Sie jetzt mit der ←-Taste das Wort „Dokumente" aus der Zeile, und tippen Sie statt dessen als erstes den Namen des Vereinsordners ein:

Arbeitsverzeichnis: C:\Programme\MSWorks\Verein

**6** Das war's zunächst: Mit einem Mausklick auf OK wird die neue Einstellung übernommen.

**7** Jetzt noch etwas optische Nacharbeit, weil der Name des Symbols

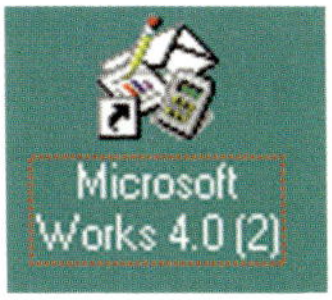


natürlich noch völlig nichtssagend ist. Um den Namen zu ändern, genügt es, zweimal auf den Text des Symbols zu klicken. Machen Sie zwischen erstem und zweitem Klick eine kurze Pause, damit Windows erkennt, daß Sie keinen Doppelklick ausführen und Works so starten wollen. Statt dessen wird sofort der Text markiert:

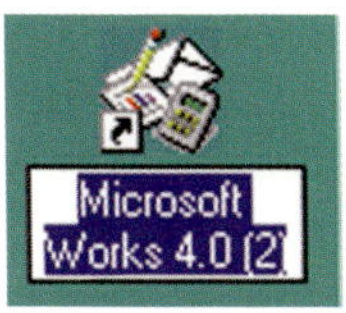


**8** Falls Ihnen der „langsame" Doppelklick nicht gelingt (das passiert selbst erfahrenen Anwendern oft) und Works statt dessen startet, beenden Sie Works sofort wieder. Gehen Sie lieber auf Nummer Sicher: Symbol mit der rechten Maustaste anklicken und den Befehl Umbenennen wählen. Damit kommen Sie auch zum Ziel.

**9** Löschen Sie jetzt mit der ←-Taste den vorhandenen Text. Tippen Sie nun eine neue Bezeichnung ein. Beispiel:

Wenn Sie nun diese Works-Variante starten, wird Ihnen automatisch der Vereinsordner zum Speichern angeboten. Und das ist doch praktisch, oder?

**10** Wiederholen Sie nun die Schritte 1 bis 9, um eine weitere Verknüpfung für Ihre privaten Works-Texte herzustellen. Wenn Sie wollen, können Sie noch weitere solcher Verknüpfungen auf dem Desktop ablegen – eine für jedes Anwendungsgebiet. Das liegt ganz an Ihnen.

# 4 Schreiben : Nicht nur für Dichter und Denker

Schon zum Abschluß des letzten Kapitels haben Sie gemerkt, was in diesem Buch im Vordergrund steht: Tips zur praktischen Arbeit. Viele Tips sind aber meist erst dann wirklich sinnvoll, wenn Sie schon etwas Erfahrung mit Works gesammelt und festgestellt haben, daß so manche Vorgabe des Programms doch nicht so ganz passend ist oder einige Aufgaben scheinbar nur mit größerem Aufwand zu bewältigen sind. Die folgenden Kapitel, die sich jeweils mehr oder weniger ausführlich einem Programmteil von Works – hier der Textverarbeitung – widmen, folgen daher immer dem gleichen Schema: Zuerst geht es um grundlegende Kenntnisse bei der Bedienung. Die sollten Sie dann als nächstes in aller Ruhe durch eigenes praktisches Arbeiten vertiefen. Dann aber geht's immer gleich voll zur Sache: Es folgen zahlreiche Tips und Tricks zu typischen Problemen oder auch zum einfacheren Umgang mit schon vorhandenen Funktionen.

Eine Textverarbeitung ist ein mächtiges Hilfsmittel für alles, was Sie irgendwie zu Papier bringen müssen. Beispiele werden Ihnen da sicher schnell einfallen: Briefe, Einladungen, Rechnungen oder Mahnungen, Einkaufslisten, Referate, Urkunden, Lebensläufe, Notizen und vieles mehr. Das Schreiben des Briefes oder des Lebenslaufes kann Ihnen die Textverarbeitung zwar auch nicht abnehmen. Aber bei der Gestaltung, bei der Korrektur und – ganz besonders wichtig – bei der Überarbeitung ist die Textverarbeitung jeder Schreibmaschine überlegen.

Denken Sie nur daran, wie schwierig es ist, auf einer Schreibmaschinenseite ein paar Gedichtzeilen genau mittig (zentriert) zu plazieren. Bei Works kostet Sie so etwas nur einen Mausklick. Oder gar der typische Aufbau einer Zeitungsseite, also mit mehreren Spalten. Das sind nur zwei Beispiele dafür, wozu eine Textverarbeitung in der Lage ist.

Sicher haben Sie noch viel mehr Vorstellungen davon, was Sie alles mit der Textverarbeitung von Works machen wollen. Experimentieren Sie nach Herzenslust – es kann ja nichts passieren, weil Sie alles, was am Bildschirm zu sehen ist, rückgängig machen oder wieder löschen können, wenn es Ihnen nicht gefällt.

Um Works genauer kennenzulernen, empfiehlt es sich, einfach einmal alle

Assistenten auszuprobieren, die mit der Textverarbeitung zu tun haben. Sie erinnern sich: Diese Assistenten lassen sich an dem kleinen Bild  vor dem Namen sofort erkennen. Und mit einem solchen Assistenten soll's jetzt auch sofort losgehen.

# Der erste Brief mit Assistenz

Eine der häufigsten Aufgaben, für die Computer, genauer: Textprogramme, eingesetzt werden, ist das Schreiben und Drucken von Briefen. Wenn Sie Works gestartet haben und im Fenster **Works-Start** die Registerkarte Works-Werkzeuge sehen, können Sie sofort die Textverarbeitung starten: Ein Mausklick auf  genügt.

Problem: Sie sehen nun eine völlig leere Seite. Das ist genauso, als ob Sie ein weißes Blatt Papier in die Schreibmaschine eingespannt hätten. Wo soll der Absender hin, wo die Empfängeranschrift? Überlassen Sie das ruhig Works:

**1** Im Fenster **Works-Start** wählen Sie – falls nicht schon im Vordergrund – per Mausklick die Registerkarte

Speichern unter... .

**2** Unterhalb des Assistenten Allgemein sehen Sie schon den passende Helfer: Brief . Doppelklicken Sie darauf.

**3** Im Fenster, das jetzt erscheint, fragt Works sicherheitshalber noch einmal nach, ob Sie den Assistenten wirklich ausführen wollen. Klar wollen Sie das jetzt – also klicken Sie auf

Ja, Assistenten ausführen .

**4** Nun wird das Fenster des Brief-Assistenten sichtbar. Dieses bietet Ihnen drei Varianten eines Schreibens, die sich von der Formatierung her unterscheiden. Klicken Sie einmal auf die drei Symbole für geschäftliche, behördliche oder persönliche Korrespondenz (aber wirklich jeweils nur einmal, kein Doppelklick!), zeigt Ihnen Works eine Art Vorschau des Aufbaus:

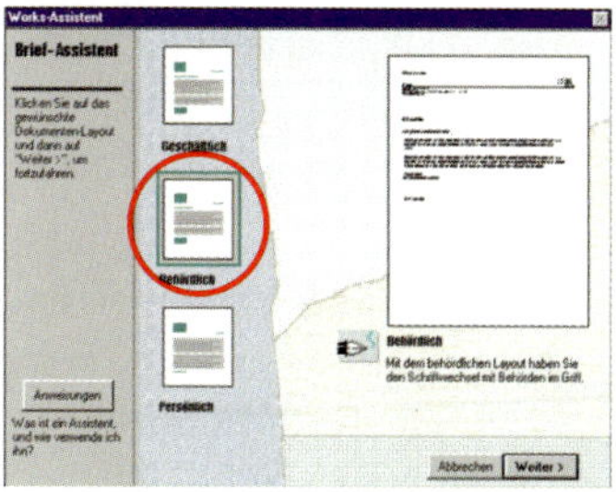

**5** An dieser Stelle soll ein Geschäftsbrief entstehen. Klicken Sie also zuerst auf

und dann auf

.

**6** Ein weiteres Fenster wird sichtbar, das Ihnen zu den wichtigsten Elementen wie Briefkopf oder Empfängeradresse zusätzliche Informationen oder weitere Auswahlmöglichkeiten bietet. Dazu genügt es, einmal auf den entsprechenden Eintrag zu klicken. Sie müssen also nicht einmal den Pfeil rechts davon treffen.

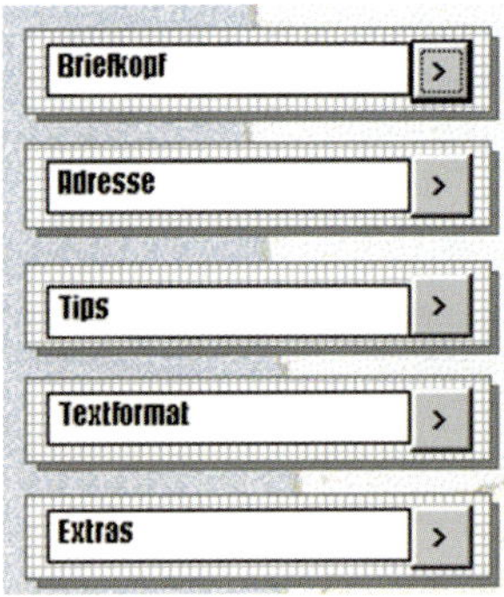


**7** Oben mit dem Briefkopf soll's losgehen. Klicken Sie also auf

**8** Works fragt nun nach, ob Sie einen neuen Briefkopf entwerfen oder vorhandenes Briefpapier nutzen wollen. Bei letzterem ist der Briefkopf ja oft schon vorhanden. Für den TSV Musterstadt gilt letzteres, doch das dürfte an dieser Stelle für Sie wohl nicht so interessant sein. Also belassen Sie es bei der Vorgabe des neuen Briefkopfes:

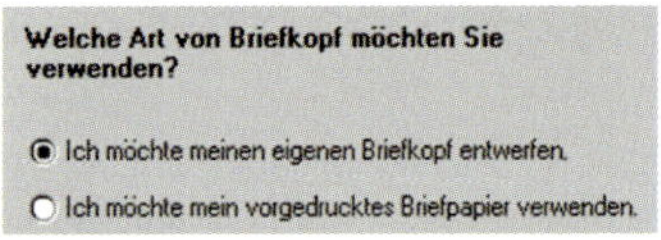


**9** Mit Mausklick auf

geht's also (im wahrsten Sinne des Wortes) weiter.

**10** Works zeigt Ihnen nun eine Auswahl für mehrere Gestaltungsmöglichkeiten. Je nach Auswahl auf der linken Seite wird das Ergebnis rechts in einer Vorschau angezeigt. Klicken Sie ruhig einmal alle Möglichkeiten an, um die Unterschiede zu sehen:

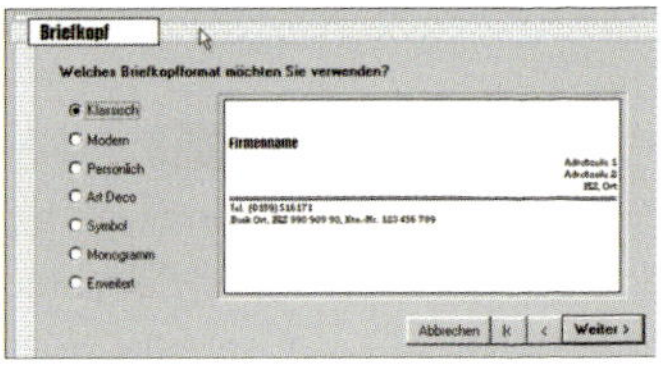

**11** Damit auch gleich ein Bild einbezogen wird, klicken Sie nun auf 

und dann wieder auf 

.

**12** Jetzt können Sie entscheiden, ob der Briefkopf Firmennamen und Ihren Vor- und Nachnamen enthalten soll. Für private Zwecke ist der Firmenname überflüssig: Mit einem Mausklick auf das Kreuz verschwindet auch die Eingabezeile. Aktivieren Sie dafür die Namenseingabe mit einem Kreuz, erscheint dort sofort eine Eingabezeile. Im Beispiel bleibt es jedoch beim Firmennamen:

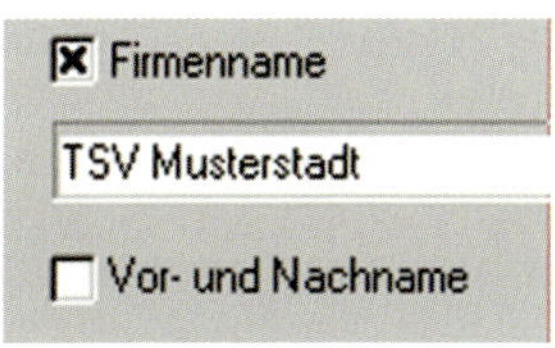

.

**13** Nach einem Mausklick auf 

können Sie die Adresse eintragen. Vier Eingabezeilen stehen für Straße, Postfach, Postleitzahl mit Ort sowie Staat zur Verfügung. Nicht benötigte Zeilen (etwa für ein Postfach) lassen Sie einfach leer.

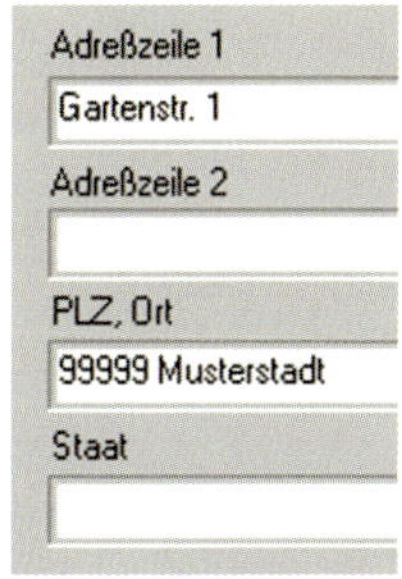

.

**14** Mit 

geht's zum nächsten Schritt. Hier geht es um Eingaben wie Telefon, Fax oder Bankverbindung. Nur wenn die entsprechenden Möglichkeiten mit einem Mausklick aktiviert, also mit einem Kreuz markiert sind, zeigt Works auch eine Eingabezeile dafür. Füllen Sie alles nach Wunsch aus, und klicken Sie wieder auf 

.

**15** Das war's für den Briefkopf, wie Works jetzt bestätigt. Dessen Aussehen mit Ihren eingegebenen Daten sehen Sie bereits in der Vorschau. Sind Sie zufrieden, klicken Sie auf

.

Andernfalls können Sie mit einem Mausklick auf

Schritt für Schritt, mit 

direkt an den Anfang zurückgehen.

**16** Jetzt landen Sie wieder im Auswahlmenü für die Gestaltung der ganzen Seite (Schritt 6). Interessant ist jetzt noch die Empfängeradresse. Klicken Sie also auf

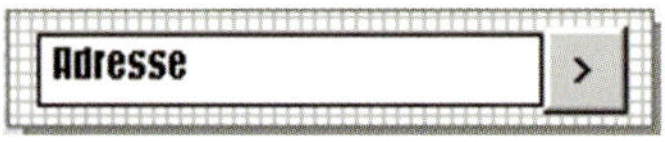


**17** Works läßt Ihnen nun die Wahl, einen Empfänger einzutragen oder aber eine Adresse aus einer Works-Datenbank zu übernehmen. Die Zusammenarbeit der einzelnen Works-Anwendungen ist im Kapitel 8 ein eigenes Thema, daher entscheiden Sie sich hier für das direkte Eintragen einer Adresse. Klicken Sie dann wieder auf

.

**18** Geben Sie nun die Adresse ein, und klicken Sie wieder auf

.

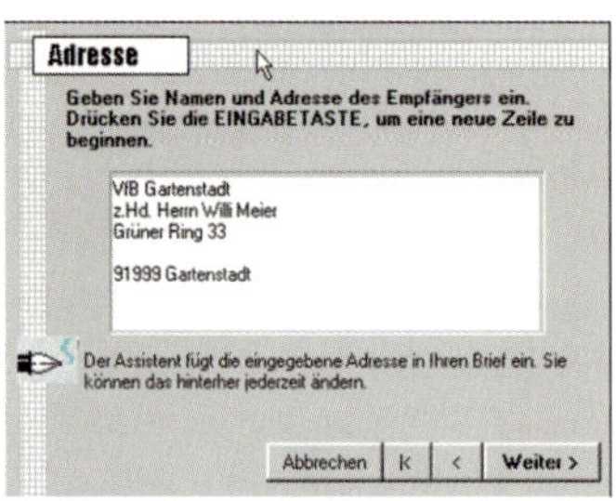


**19** Als nächstes geben Sie die Anrede für den Brief ein:

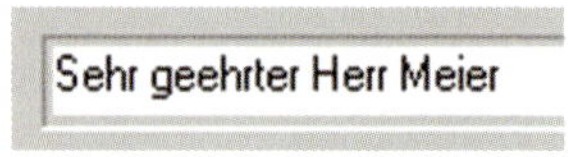

.

**20** Nach

sind auch die Vorbereitungen für die Empfängeradresse schon abgeschlossen. Sind Sie mit der Vorschau zufrieden, klicken Sie wieder auf

.

Sie gelangen so zurück ins Auswahlmenü des Briefassistenten.

**21** Viele Briefe enthalten ein bestimmtes Thema. Works bietet Ihnen Tips für solche „Musterbriefe" an, wenn Sie auf

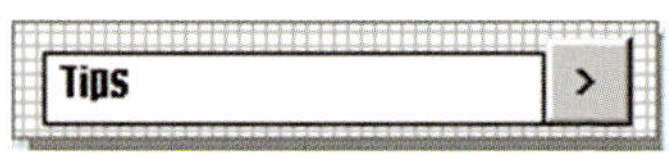


klicken. Danach sehen Sie Muster für Einladungen, Danksagungen, Beschwerden und vieles mehr in einer Auswahlliste – leider ohne Texthinweise. Blättern Sie mit Hilfe der Bildlaufleiste durch dieses Angebot an Musterbriefen. Im Beispiel soll es um den Dank für eine Einladung zu einem Turnier gehen. Klicken Sie mit der Maus einmal auf den entsprechenden Eintrag:

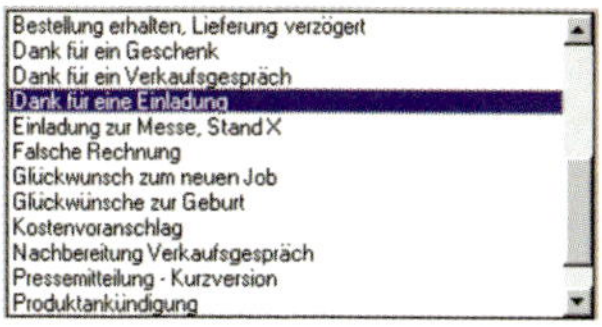

.

**22** Sobald Sie auf

klicken, ist das Rohgerüst des Briefes schon fertig. Lassen Sie sich überraschen, was Works jetzt schon im Hintergrund für Ihren Brief vorbereitet hat. Bevor Sie ihn vervollständigen, können Sie noch eine besondere Gestaltung festlegen, indem Sie auf

klicken.

**23** Dann stehen Ihnen vier interessante Gestaltungen für Schriften zur Auswahl:

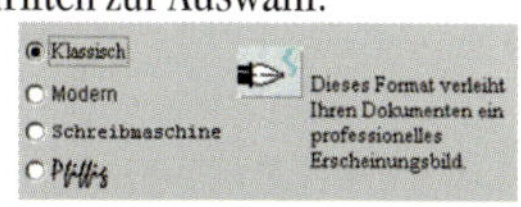

.

Suchen Sie sich per Mausklick ein geeignetes Format aus, und beenden Sie diesen Schritt wieder mit

.

**24** Den letzten Auswahlpunkt des Menüs namens

können Sie an dieser Stelle ignorieren, da er meist nur für behördliche Schreiben eine Rolle spielt (und natürlich im deutschen DIN-A4-Brief). Hier werden nämlich Angaben wie „Ihr Zeichen" eingetragen:

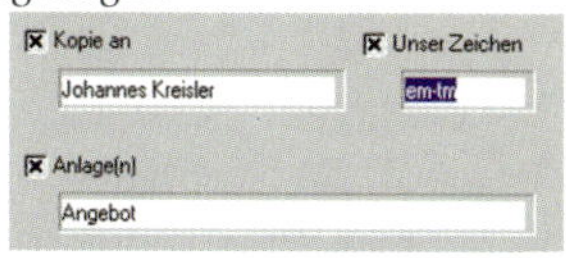

.

**25** Das war's. Natürlich benötigen Sie nicht immer alle Schritte auf einmal – diesmal sollte alles aber einmal vorgeführt werden. Klicken Sie also auf

. Works zeigt Ihnen eine Zusammenfassung der bisherigen Eingaben an:

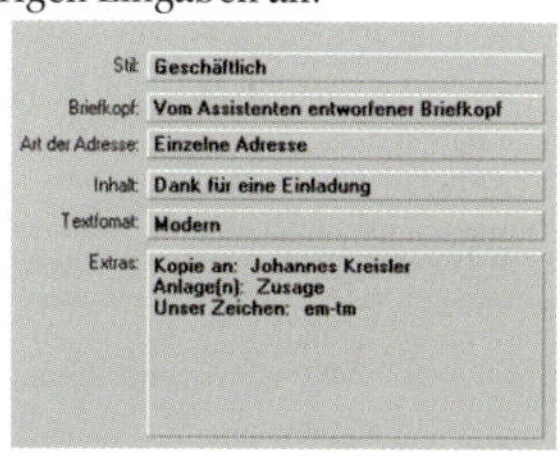

.

**26** Ist alles in Ordnung, klicken Sie auf

.

**27** Jetzt dauert es einen Moment, während Works damit beschäftigt ist, den Brief zu erstellen. Wie Sie sicher festgestellt haben, müssen Sie keinerlei Angaben zu irgendwelchen Positionierungen machen. Works zeigt nach kurzer Zeit die vorbereitete Seite mit dem Brief – und auch einige allgemeine sinnvolle Tips dazu, was Sie nun in Ihrem Brief schreiben können.

**28** Und das ist es, worum es ja auch geht: Sie sparen sich die Arbeit für eine aufwendige Gestaltung und können sich ganz auf den Inhalt des Briefes konzentrieren: Lesen Sie die Tips, und löschen Sie diese dann einfach, um Ihr eigenes Schreiben einzutippen.

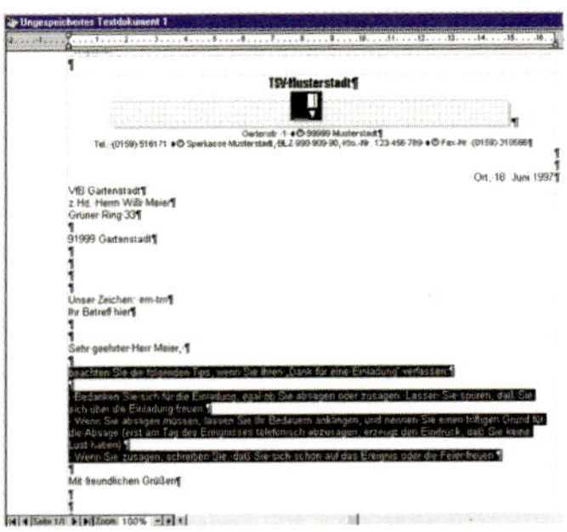


**29** Speichern Sie nun Ihren Brief. Am schnellsten geht's, wenn Sie die Tasten [Strg] und [S] gleichzeitig drücken, einen Namen für den Brief eingeben und auf

klicken.

**30** Werden Ihre Mannschaften häufiger mal zu Turnieren eingeladen, könnten Sie diesen Brief auch als Vorlage speichern, die Sie immer wieder öffnen können. Dazu sollten Sie natürlich die Adreßangaben löschen und auch den Text Ihres Briefes, der nicht allgemein gehalten ist, hier beispielsweise alle Angaben zum Turnier beim VfB Gartenstadt. Aber hier soll jetzt nichts vorweggenommen werden: Mehr über Vorlagen lesen Sie nämlich schon im nächsten Abschnitt.

# Arbeiten mit Vorlagen: Bewährtes dauerhaft behalten

Mühsam haben Sie nun Ihren ersten Briefbogen selbst entworfen: Der Briefkopf paßt mit Absender und Bildern, die Adresse des Empfängers steht an der passenden Position. Und sicherlich wollen Sie ihn für Ihre Briefe immer wieder als Vorlage verwenden. Natürlich können Sie einen fertigen Brief wie gewohnt speichern und später wieder öffnen. Nur müssen Sie dann den Text des Briefes und vermutlich auch die Empfängeradresse erst noch löschen, um dann endlich loslegen zu können.

Das muß nicht sein: Wenn Sie – wie im vorigen Abschnitt beschrieben – einen Brief entworfen und nach eigenen Vorstellungen verändert haben, löschen Sie einfach alles bis auf die Absenderangabe, eine eventuelle Grafik oder auch Ihre Bankverbindung. Eben ein typisches Blanko-Briefpapier – nur mit Voreinstellungen zum Beispiel für Ihre bevorzugte Schriftart und Schriftgröße. So speichern Sie dann diese Seite als Vorlage für alle neuen Briefe:

**1** Im Menü Datei klicken Sie auf den Befehl Speichern unter... .

**2** Ein Fenster wird sichtbar, in das Sie wie gewohnt einen Dateinamen eintragen könnten. Das ist aber unnötig: Klicken Sie vielmehr auf

Vorlage... .

**3** Ein weiteres Fenster erscheint. Hier geben Sie nun den Namen ein, unter dem Sie diese Vorlage künftig aufrufen wollen:

Geben Sie einen Namen für die Vorlage ein:
Briefpapier TSV Musterstadt

**4** Angenommen, Sie würden tagtäglich nichts anderes machen als nur Briefe des TSV Musterstadt zu verschicken (was aber wohl eher unwahrscheinlich ist), dann könnten Sie diese Vorlage auch als Standardvorlage für die Textverarbeitung einrichten. Das würde bedeuten: Bei jedem Neustart der Textverarbeitung wäre automatisch Ihr neues Briefpapier statt einer leeren Seite zu sehen. Dazu können Sie das weiße Quadrat im folgenden Bild anklicken. Dadurch erscheint dort ein Kreuzchen. Derzeit lassen Sie es aber einfach leer:

☐ Diese Vorlage für neue Textverarbeitungsdokumente verwenden

**5** Klicken Sie nun auf

OK ,

wird Ihr Formular gespeichert.

**6** Und wie finden Sie diese Vorlage wieder? Kein Problem: Im Fenster Works-Start auf der Karte Assistenten finden Sie ganz unten einen neuen „Assistenten" mit dem Namen **Angepaßte Vorlagen** . Ist Ihre neue Vorlage noch nicht zu sehen, klicken Sie einmal darauf. Sofort werden alle bereits angefertigten Vorlagen sichtbar:

**Angepaßte Vorlagen**
- Briefpapier TSV Musterstadt
- Anschreiben für Hallenturnier
- Handball-Budget

.

**7** Mit einem Doppelklick auf die neue Vorlage wird sofort die Textverarbeitung (bei einer Briefvorlage) gestartet und die Vorlage geöffnet.

**! Vorlagen für alle Bereiche**

Natürlich können Sie Vorlagen auch für die anderen Programme wie Datenbank oder Tabellenkalkulation erstellen. In diesem Fall startet natürlich beim Doppelklick die zugehörige Anwendung von Works.

# Autotext: der Floskelgenerator

Stellen Sie sich vor, Sie müßten in einem längeren Text immer wieder mal einen bestimmten Begriff neu schreiben. Beispiel: Finanzbericht 1996/97. Irgendwann ist das einfach lästig, solche Ausdrücke immer wieder einzutippen. Es müßte doch reichen, ihn einmal zu schreiben und dann immer wieder in den Text einzufügen.

Die erste Idee: Text schreiben, markieren, in die Zwischenablage kopieren und immer wieder bei Bedarf in den Text einzufügen, funktioniert tadellos. Nur: Sie dürfen dann zwischendurch nichts anderes in die Zwischenablage einfügen. Da paßt nämlich immer nur ein Ausschnitt hinein. Kommt irgend etwas anderes, wird der bisherige Inhalt einfach überschrieben.

Es gibt aber bei Works eine viel bessere Möglichkeit: die Funktion „Autotext“. Machen Sie einfach mit beim typischen „AKüFi“, dem Abkürzungsfimmel, und vergeben Sie für ellenlange Begriffe, typische Redewendungen oder auch immer wiederkehrende Absätze eines Textes oder Briefes eine sinnvolle, prägnante Abkürzung. Anschließend reicht es aus, die Abkürzung einzufügen, sie zu markieren und eine Funktionstaste zu drücken: Schon steht das gewünschte Text im Dokument – und zwar ohne Rechtschreibfehler, die sich sonst immer mal wieder bei der Eingabe einschleichen.

**! Textbaustein & Co.**

Wenn Sie schon mal mit anderen Windows-Textverarbeitungen gearbeitet haben, wird Ihnen Autotext bekannt vorkommen, wenngleich Sie diese Funktion eher mit dem Namen Textbausteinverwaltung kennengelernt haben mögen.

**1** Schreiben Sie zunächst den Text, den Sie künftig durch eine Abkürzung ersetzen wollen, und markieren Sie ihn mit der Maus:

Finanzbericht 1996/97

Zusatztip: Wenn Sie hier gleich noch ein anschließendes Leerzeichen anhängen und mit markieren, müssen Sie es später nicht immer wieder eintippen.

**2** Im Menü Bearbeiten wählen Sie den Befehl AutoText... .

**3** Ein Fenster wird sichtbar. Klicken Sie darin auf Neu... . Ein weiteres Fenster erscheint. Hier ist der im Schritt 1 markierte Text schon eingetragen:

Inhalt des AutoTexts
Finanzbericht 1996/97

**4** In der Eingabezeile darüber tragen Sie jetzt die Abkürzung ein. Da die Einfügemarke dort schon erwartungsfreudig blinkt, können Sie direkt loslegen.

**5** Wenn Sie Ihre Abkürzung eingetippt haben, klicken Sie auf

Fertig

– die ↵-Taste nützt hier gar nichts. Anschließend wird mit einem Mausklick auf

Schließen

auch das erste Fenster wieder geschlossen.

**6** Jetzt der Test: Schreiben Sie die neue Abkürzung irgendwo ins Dokument, doppelklicken darauf (so geht's zum Markieren am schnellsten), und drücken Sie dann die Taste F3. Sofort wird aus der Abkürzung der vollständige Begriff. Wenn Sie in Schritt 1 ein zusätzliches Leerzeichen angehängt haben, können Sie sofort weiterschreiben – ansonsten müssen Sie jetzt normalerweise noch einmal die ⎵-Taste drücken.
Wie beschrieben können Sie so auch eine ganze Reihe von typischen Redewendungen oder Floskeln als Autotext hinterlegen. Aus der Brieffloskel „Mit freundlichen Grüßen" wird dann beispielsweise das Kürzel „mfg". Vor allem wissenschaftliche Texte lassen sich so einfach schreiben. Vorhandene Autotext-Einträge können Sie übrigens jederzeit bearbeiten, verändern oder löschen, indem Sie im Menü Bearbeiten den Befehl AutoText... wählen, die gewünschte Abkürzung anklicken und dann auf eine der Schaltflächen zum Bearbeiten oder Löschen klicken.

# Besondere Note dank Autoformat

Eine weitere nützliche Funktion, die Ihnen eine Menge Arbeit in der Praxis abnehmen kann, ist „Autoformat". Damit lassen sich zum Beispiel einzelne Abschnitt in einem Text mit wenigen Mausklicken speziell formatieren. Zum Beispiel einen Absatz mit einem „hängenden Einzug" – was nichts anderes heißt, als daß im Absatz ab der zweiten Zeile alle Zeilen ein Stück weit nach rechts eingerückt werden. So einfach geht's:

**1** Markieren Sie den Absatz mit der Maus. Tip: Wenn Sie sich im Layout-Modus befinden, genügt dafür ein Doppelklick links außen neben der Linie für den Seitenrand.

**2** Wählen Sie dann im Menü Format den Befehl AutoFormate... .

**3** Works zeigt nun ein Fenster, in dem auf der linken Seite eine Vielzahl von bereits vorbereiteten Formaten für Absätze, Schriften, Listen oder auch Überschriften zu sehen sind. Blättern Sie einmal mit Hilfe der Bildlaufleiste durch dieses Menü. Wenn Sie die einzelnen Einträge anklicken, zeigt Works rechts daneben eine Vorschau, wie die Auswirkung dieses Formates im Text zu sehen sein wird:

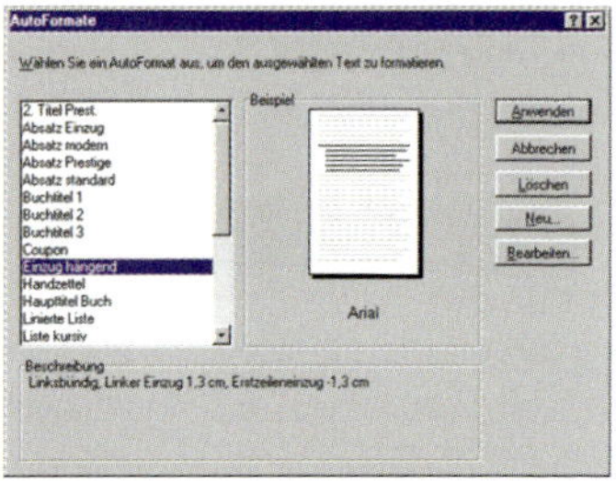


**4** Fürs Beispiel klicken Sie auf Einzug hängend und dann auf Anwenden .

Das war's schon. Sofort danach hat der zuvor markierte Absatz die gewünschte Markierung: Die erste Zeile beginnt wie immer am linken Seitenrand, die folgenden Zeilen sind alle nach rechts eingerückt.

**5** Probieren Sie einmal an einem Beispieltext in Ruhe die Auswirkungen der verschiedenen Autoformate aus – es lohnt sich.

Alle vorhandenen Formate lassen sich übrigens jederzeit noch verändern, der hängende Einzug etwa vergrößern oer verringern. Wählen Sie dazu Format , dann den Befehl AutoFormate... , markieren das zu verändernde Autoformat und klicken dann auf Bearbeiten... . Auf diese Weise läßt sich auch anhand der Vorgaben sehr viel über Formatierungsmöglichkeiten im allgemeinen lernen.

# Symbolleiste anpassen: Wo ist der Blocksatz?

Vielleicht kennen und vermissen Sie in der Symbolleiste das Symbol für Blocksatz: Es wird standardmäßig nicht angezeigt. Kein Problem, denn es ist schon da, nur noch nicht zu sehen. Die folgende Vorgehensweise zeigt Ihnen an diesem Beispiel, wie Sie die Symbolleiste jederzeit mit Befehlen und Funktionen ausstatten können, die Sie häufiger brauchen:

1 Klicken Sie im Menü Extras auf den Befehl Symbolleiste bearbeiten... .

2 Blocksatz gehört zur Formatierung eines Textes. Klicken Sie daher im Fenster auf der linken Seite auf Formatieren .

3 Auf der rechten Seite werden nun einige Symbole sichtbar. In der zweiten Reihe klicken Sie auf .

4 Halten Sie nun die linke Maustaste gedrückt, und ziehen Sie das Symbol mit der Maus in die Symbolleiste zu den Zeichen, die dort schon für Absatzformatierungen (zentriert, links- und rechtsbündig) vorhanden sind.

Lassen Sie dann die Maustaste los, ist das Blocksatz-Symbol sofort dort zu sehen:

.

Übrigens: Sie können selten benötigte Symbole auch jederzeit aus der Symbolleiste verschwinden lassen. Statt wie im Schritt 4 beschrieben ziehen Sie dann das Symbol nicht aus dem Fenster in die Symbolleiste, sondern umgekehrt aus der Leiste ins Fenster. Dabei erkennt Works schon automatisch, wohin das Symbol gehört. Es wird also sofort an die richtige Stelle einsortiert.

# Cliparts, Bilder und mehr

Das Menü Einfügen ist eine wahre Fundgrube für die Gestaltung Ihrer Dokumente. Hier können Sie an der Stelle, an der die Einfügemarke blinkt, Tabellen, Zeichnungen und vieles mehr in Ihren Text integrieren.

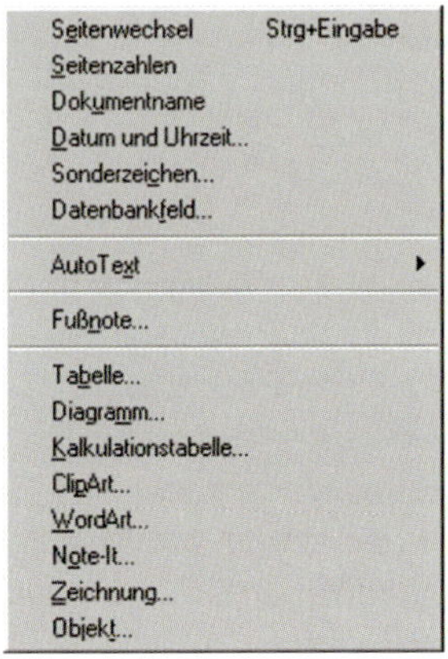


Die Vorgehensweise für die meisten dieser Möglichkeiten ist nahezu identisch, deshalb soll sie hier am Beispiel des Einfügens eines Clipart-Bildes erläutert werden:

**1** Wählen Sie im Menü Einfügen den Befehl ClipArt... .

**2** Wenn Sie – wie bei der Standardinstallation normal – die Clipart-Bilder installiert haben, zeigt Works nun ein Fenster mit den vorhandenen Bildern. Alles ist dabei nach unterschiedlichen Kategorien geordnet:

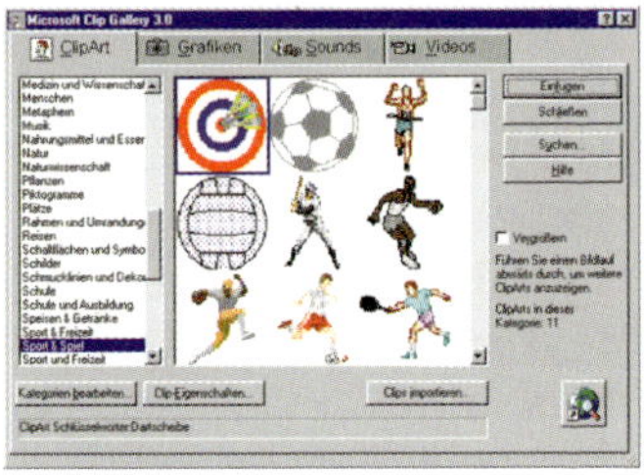


Auf der linken Seite können Sie sich eine Kategorie aussuchen, in der Mitte werden die Bilder gezeigt. Suchen Sie sich das passende Bild aus. Mit einem Doppelklick (wie wär's hier mit dem Fußballer unten?) darauf ist alles schon erledigt: Das Bild erscheint danach sofort im Text.

**3** Erinnern Sie sich an den Abschnitt dieses Kapitels, in dem Sie einen ersten Brief erstellt haben? Dort hat Works ein solches Clipart-Bild für den Briefkopf verwendet. Wenn Ihnen das vorgeschlagene Bild nicht gefällt, doppelklicken Sie einfach auf ein vorhandenes Bild. Works zeigt Ihnen das Fenster aus Schritt 2, und Sie können jederzeit ein neues Clipart-Bild für Ihre Briefe verwenden.

# Bilder an beliebiger Position

Clipart-Bilder – das gilt auch für andere Elemente, die im Grunde eigentlich „Objekt" heißen – sind normalerweise immer genau an der Position festgehängt, an der sie eingefügt wurden. Das ist natürlich nicht immer sehr praktisch.

Um das Bild (oder andere Objekte) an einer beliebigen Stelle der Seite zu plazieren, sind aber nur wenige Mausklicke erforderlich:

1 Klicken Sie mit der rechten Maustaste auf das Bild. Ein Kontextmenü wird sichtbar. Klicken Sie hier auf Grafik formatieren... .

2 Im zugehörigen Fenster klicken Sie auf die Registerkarte Textumbruch .

3 Mit einem Mausklick auf

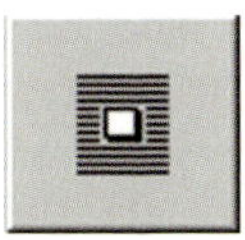

wird die „Verankerung“ an der aktuellen Position im Text aufgelöst. Mit OK schließen Sie das Fenster wieder.

4 Wenn Sie nun das Bild anklicken, können Sie es per Mauszeiger und gedrückter linker Maustaste beliezbig auf der Seite verschieben. Falls an der neuen Position um das Bild schon Text herum vorhanden ist, wird der automatisch so plaziert, daß er scheinbar um das Bild herumfließt.So erhalten Ihre Texte ein professionelles Outlook.

# Verspielte Schriften

Ein ausgesprochen nützliches Programm wird bei der Installation von Works gleich mit installiert: Es heißt „Wordart“ und liefert Ihnen blitzschnell eine Reihe von Gestaltungsmöglichkeiten für Ihren Text, genauer: für einzelne Wörter. So lassen sich zum Beispiel interessante Einladungen (etwa fürs nächste Sommerfest) entwerfen:

1 Wählen Sie auf einer leeren Seite im Menü Einfügen den Befehl WordArt... .

2 Works verändert dann nach kurzer Zeit sein Erscheinungsbild: Die Menü- und Symbolleiste sieht plötzlich ganz anders aus, und ein Fenster wird sichtbar, in das Works schon einen Beispieltext eingetragen hat. Tippen Sie hier als erstes Ihren eigenen Text wie im folgenden Bild ein. Sie können dabei auch mehrere Zeilen eingeben, wenn Sie am Zeilenende jeweils die ↵-Taste drücken. Oberhalb des kleinen Fensters

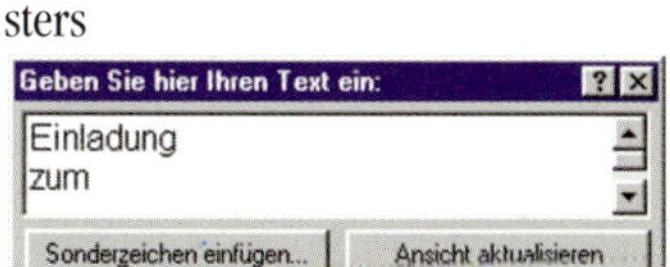


sehen Sie sofort die Auswirkungen.

**3** Unter der Menüzeile klicken Sie nun auf den kleinen Pfeil rechts bei

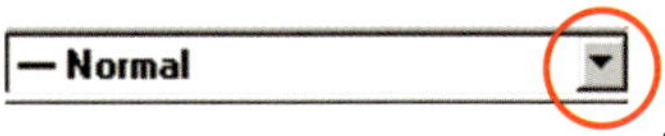


.

**4** Sofort klappt ein „Menü“ aus lauter kleinen Bildern auf. Diese Bilder zeigen, wie ein einzelnes Wort oder auch mehrere Zeilen dargestellt werden können. Probieren Sie ruhig einmal die unterschiedlichen Möglichkeiten aus. Nicht alles paßt immer. In diesem Beispiel besteht der Text aus drei Zeilen.

Klicken Sie daher auf , da hier auch drei Elemente dargestellt sind.

**5** Das Vorschaubild ist noch nicht befriedigend, da alles recht klein ist. Kein Problem: Die Größe der Darstellung verbirgt sich hinter

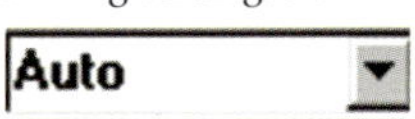


.Klicken Sie rechts auf den kleinen Pfeil, klappt ein Menü mit unterschiedlichen Schriftgrößen aus. Wählen Sie hier zum Beispiel per Maus die Schriftgröße von 56. Works fragt eventuell nach, ob die Rahmengröße füe das Wordart-Objekt angepaßt werden soll. Bestätigen Sie das

mit 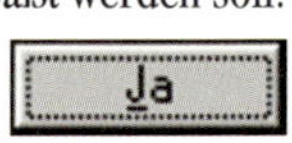


.

**6** Sofort sehen Sie die Auswirkung.

Experimentieren Sie ein wenig, und Sie werden Wordart nicht mehr missen wollen. Übrigens: Wie bei Bildern im letzten Abschnitt beschrieben, können Sie auch solche Wordart-Objekte beliebig auf einer Seite unterbringen.

Natürlich ließe sich jetzt noch eine Menge mehr über die Möglichkeiten der Textverarbeitung von Works vorstellen. Doch einige der interessanten grundlegenden Möglichkeiten haben Sie nun kennengelernt. Es liegt an Ihnen, diese für völlig neue Ideen anzuwenden – etwa für die Gestaltung von Kurzmitteilungen mit Bildern und Wordart-Texten. Sogar Etiketten lassen sich zum Beispiel mit Bildern verzieren. Probieren Sie es einmal aus. Die Vorgehensweise kennen Sie ja jetzt. Und es macht doch meist mehr Spaß, ein Programm selbst auszuprobieren als alles haarklein erzählt zu bekommen.

# 5 Gut organisiert mit der Datenbank

Natürlich enthält Works auch einen Programmteil, in dem Sie alle möglichen Informationen erfassen und speichern können: die Datenbank. Typisches Einsatzgebiet ist ein „Adreßbuch", in dem Sie die Namen, Anschriften und möglicherweise persönliche Zusatzinformationen festhalten. Im privaten Bereich ist allerdings meist ein Karteikasten oder auch ein reales Adreßbuch im Einsatz. Das ist auch durchaus sinnvoll, denn meistens sind es gar nicht so viele Adressen, die darin notiert sind. Wenn Sie dann einmal eine bestimmte Adresse suchen, sind Sie meist sogar schneller fündig als mit einer Works-Datenbank.

Anders sieht es schon aus, wenn Sie einen größeren Adreßbestand verwalten und damit in der Praxis arbeiten müssen. Etwa, weil Sie Mitgliederlisten führen wollen oder eine Kundenkartei mit Wiedervorlageterminen einsetzen. Da lohnt sich der Einsatz einer Datenbank schon eher.

Unentbehrlich wird das elektronische Adreßbuch dann, wenn Sie viele gleichlautende Briefe an mehrere Empfänger schreiben und verschicken müssen. Das ist zum Beispiel beim TSV Musterstadt immer wieder der Fall: Einladungen zu Versammlungen, zu Feiern und vieles mehr. Zum Thema Serienbriefe erfahren Sie übrigens im Kapitel 8 mehr.

Natürlich sind Sie bei der Works-Datenbank nicht nur auf Adreßbücher beschränkt. Verwalten Sie damit Ihren Hausrat, Ihre Kochrezepte, Ihre Videosammlung, Ihre Musik-CDs oder auch ihr Warenlager.

Doch da die generelle Vorgehensweise zum Aufbau einer Datenbank identisch ist, geht es nun um die Mitgliederverwaltung der TSV Musterstadt. Und diese ist erstaunlich schnell zusammengestellt. Denn wie für die Textverarbeitung gibt es auch für die Datenbank eine Vielzahl von Assistenten. Und warum das Rad immer wieder neu erfinden? Es ist einfacher, einen vorhandenen Entwurf zu ändern oder zu ergänzen, als alles von Grund auf neu zu entwerfen.

Übrigens: Alle anschließenden Tips gehen immer davon aus, daß Sie die Mitgliederliste in der Formularansicht vor sich sehen. Wenn Sie Ihre Liste als Tabelle auf dem Bildschirm sehen, schalten Sie also besser zur Formularansicht um (siehe dazu Seite 59).

# Der unentbehrliche Vereinsassistent

Der schnellste Weg zur neuen Mitgliederdatenbank führt natürlich über einen Assistenten:

**1** Klicken Sie dazu im Fenster Works-Start auf die Registerkarte Assistenten, falls diese nicht schon im Vordergrund ist.

**2** In der Liste der Assistenten blättern Sie nun mit Hilfe der Bildlaufleiste nach unten, bis Sie folgenden Oberbegriff entdecken: Vereine/Organisationen.

Der Name verspricht ja schon einiges. Doppelklicken Sie darauf, werden die zugehörigen Assistenten sichtbar.

**3** Sofort der erste scheint genau richtig zu sein: Adreßbuch. Doppelklicken Sie darauf, um den Assistenten zu starten. Wenn Sie schon Kapitel 4 gelesen haben, wissen Sie, was jetzt kommt: Works fragt nach, ob Sie den Assistenten wirklich starten wollen. Aber ja doch: Klicken Sie daher auf Ja, Assistenten ausführen.

Falls Ihnen diese Rückfrage auf Dauer lästig vorkommt: verständlich. Dennoch passiert es oft genug, daß ein Doppelklick aus Versehen auf die falsche Stelle erfolgt. An dieser Stelle kämen Sie mit einem Mausklick auf Abbrechen schnell wieder zurück.

**4** Works zeigt jetzt ein Fenster mit insgesamt sechs unterschiedlichen Angeboten für eine Adreßdatenbank. Gleich das erste Angebot ist hier schon das passende. Am grünen Rahmen läßt sich schnell erkennen, welche Datenbank gerade ausgewählt ist. Unten im Fenster ist jeweils eine kurze Erklärung angegeben. Schauen Sie sich ruhig einmal alle Angebote mit einem einfachen Mausklick an.

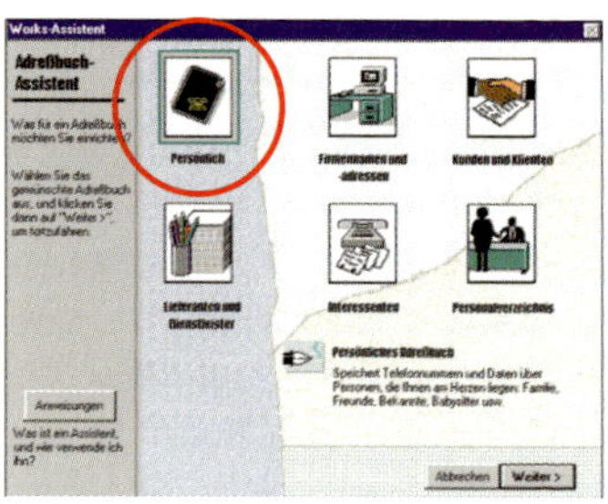

### ! Doppelte Assistenten

Wundern Sie sich nicht, wenn Sie bestimmte Assistenten und damit identische Auswahlfenster sehen, auch wenn Sie verschiedene Oberbegriffe ausgewählt haben. Einige Assistenten sind nämlich durchaus zu Recht mehrfach vorhanden.

**5** Klicken Sie nun wieder auf

und dann auf Weiter>.
Works zeigt Ihnen danach an, welche Felder zur Aufnahme von Daten bereits vorhanden sind. Da paßt schon fast alles. Allerdings sollten noch einige zusätzliche Felder vorhanden sein, etwa Abteilungszugehörigkeit, Beitrittsdatum oder Beitragshöhe. Die werden Sie also später noch ergänzen müssen. Klicken Sie wieder auf Weiter>.

**6** Aha! Works rechnet schon damit, daß das Standardangebot nicht immer ausreichen mag. An dieser Stelle können Sie nämlich zusätzliche Felder in die Datenbank einfügen. Klicken Sie dazu als erstes mal auf

Es ist dabei völlig egal, ob Sie auf den Text selbst oder den Pfeil rechts klicken.

**7** Ein kleines Fenster wird sichtbar, das nun drei weitere vorgegebene Felder zeigt. Zwar nicht unbedingt die, die auf jeden Fall in eine Mitgliederdatei gehören, aber brauchbar sind sie dennoch. Klicken Sie daher ruhig alle drei weißen Kästchen an. Kreuze zeigen an, daß die Auswahl aktiv ist. In einer Seitenvorschau rechts davon sehen Sie übrigens mit jedem Mausklick, wie die Seite voller wird. Schließen Sie dann das Fenster mit OK.

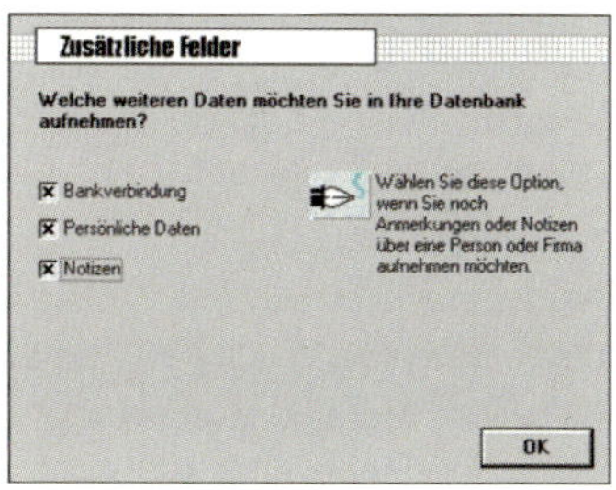


**8** Der nächste Versuch: Klicken Sie auf

Jetzt paßt es: Vier weitere Felder, die Sie beliebig benennen können, lassen sich jetzt noch in die Datenbank einbauen.

Das nächste Bild zeigt einen Vorschlag:

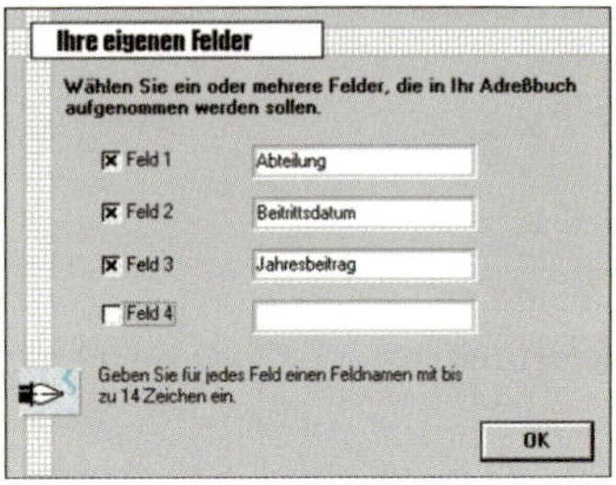


**9** Mit einem Mausklick auf

geht's weiter.

**10** Wenn Sie schon dabei sind: Klicken Sie jetzt auch noch auf

.

Im nächsten Fenster, in dem Sie unterschiedliche Listen erstellen könnten, erfahren Sie so ganz nebenbei, was ein Bericht innerhalb einer Datenbank ist: nichts anderes als eine Liste, die nach bestimmten Kriterien geordnet ist. Sicher wäre eine Liste aller Mitglieder nach der Abteilung ganz sinnvoll. Die läßt sich hier aber nicht direkt einstellen. Lassen Sie die Angebote also offen, und klicken Sie auf

.

Berichte, so stand es ja im Fenster, lassen sich später immer noch erstellen.

**11** Genug der Vorbereitung: Klicken Sie auf

.

Works zeigt danach noch einmal die getroffenen Einstellungen. Außerdem können Sie unten festlegen, ob das neue Adreßbuch Ihr Standardadreßbuch werden soll. Wenn Sie kein weiteres einsetzen wollen, schalten Sie dies mit einem Mausklick ein.

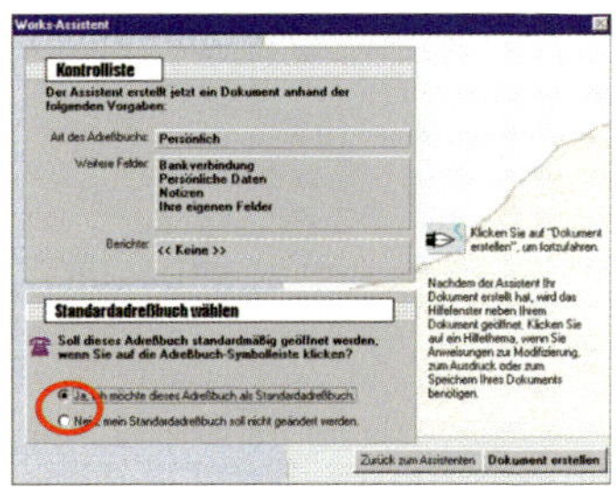


**12** Weiter geht's mit einem Mausklick auf

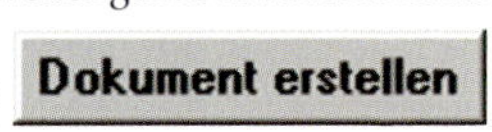


.

Jetzt können Sie sich kurz zurücklehnen und einfach am Bildschirm beobachten, wie Works ein perfektes Formular Stück für Stück erstellt:

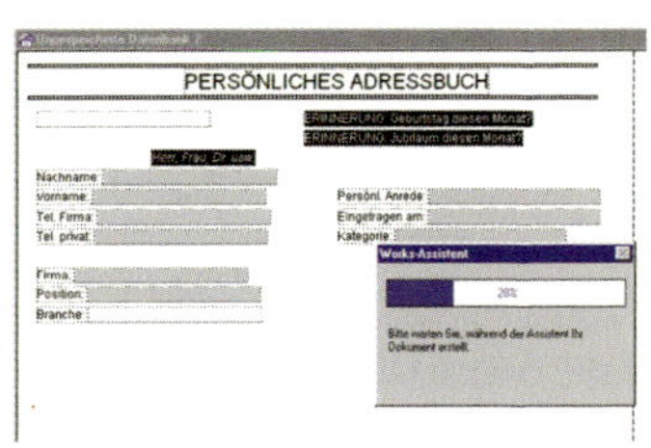

> **! Unterschiedliche Anzeige von Daten**
>
> Works kennt in der Datenbank zwei unterschiedliche Darstellungsformen: Formular und Liste. Ein Formular zeigt immer alle oder ausgewählte Felder eines einzelnen Datensatzes an und vereinfacht so als Eingabemaske die Neueingabe oder Korrektur von Daten. In einer Liste werden dagegen alle Datensätze gleichzeitig angezeigt. Sie entspricht vom Aufbau her einem Tabellenblatt, wobei jede Zeile ein Datensatz, jede Spalte ein Feld darstellt, das ja für alle Datensätze vorhanden ist. Zwischen beiden Formen können Sie mit den Symbolen jederzeit wechseln.

**13** Das Ergebnis sieht doch schon ganz gut aus, oder? Allerdings sind so viele Felder auf der Seite vorhanden, daß Sie mit der Bildlaufleiste blättern müssen, um alles sehen zu können. Ganz wichtig: Speichern Sie nun als erstes „Ihre" Arbeit. Drücken Sie dazu gleichzeitig die Tasten [Strg] und [S]. Tippen Sie einen sinnvollen Namen ein (um eine Endung müssen Sie sich dabei gar nicht kümmern), und klicken Sie dann auf [Speichern]. Danach können Sie schon sofort mit der Eingabe des ersten Mitglieds beginnen. Wichtiger Tip: Sie können sich Feld für Feld im Formular vorwärts bewegen, wenn Sie die [Tab]-Taste drücken. Rückwärts geht's auch, wenn Sie zusätzlich die [Shift]-Taste drücken.

# Datenbankfelder bearbeiten

Um bei der Mitgliederliste zu bleiben, die Sie gerade erstellt haben: Einige Felder darin – wie die Firmendaten – sind durchaus überflüssig und sollten daher gelöscht werden:

**1** Klicken Sie in der Symbolleiste auf . Damit landen Sie in der sogenannten Entwurfsansicht. Hier sehen Sie aber keinen Datensatz, sondern können die Gestaltung des Formulars bearbeiten. Die Feldnamen werden jetzt zum Beispiel mit einem gestrichelten Rahmen versehen:

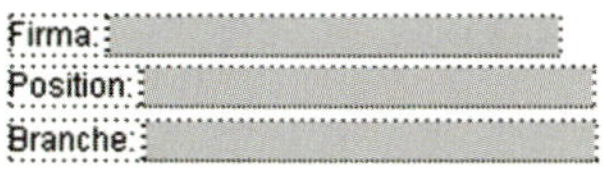


**2** Um die Felder für die Firma zu löschen, gibt es zwei Möglichkeiten: Sie können jedes gewünschte Feld einzelnen anklicken und dann die [Entf]-Taste drücken. Weil das nicht mehr so schnell rückgängig zu machen ist, fragt Works dann sicherheitshalber noch einmal nach. Oder aber Sie wollen mehrere Felder gleichzeitig löschen. Dazu müssen Sie diese nacheinander markieren. Das geht einmal, indem Sie beim Mausklick gleichzeitig die Strg-Taste drücken. Falls die Felder zusammen liegen, geht's aber noch bequemer: Klikken Sie etwas außerhalb des ersten Feldes auf eine leere Stelle des Formulars, halten die Maustaste gedrückt und ziehen einen Rahmen um die zu löschenden Felder. Danach die Entf-Taste drükken, Rückfrage bestätigen, schon sind störende Felder auf Nimmerwiedersehen verschwunden.

**3** Mit einem Mausklick auf  landen Sie anschließend wieder in der Formularansicht.

# In Datenbanken rechnen

Wie in der Tabellenkalkulation (näheres im folgenden Kapitel 6) können Sie Works sogar dazu bringen, in einem speziellen Feld eine automatische Berechnung durchzuführen. Das typische Beispiel wäre die Berechnung eines Bruttoverkaufspreises aus Nettopreis und Mehrwertsteuer. So etwas ist aber in der Mitgliederliste für den TSV Musterstadt wenig sinnvoll, deshalb ein völlig anderes Beispiel: Anhand des Feldes für den Geburtstag soll automatisch das Alter in Jahren ermittelt werden – um zum Beispiel sofort zu sehen, ob ein Mitglied schon bei den „Alten Herren" der Fußballabteilung spielen darf.

Das geht mit einer Formel sehr schnell. Die können Sie allerdings nicht in einem Formular, sondern nur in der Listen- und in der Entwurfsansicht eintragen. Die Entwurfsansicht haben Sie gerade kennengelernt, daher soll jetzt die Liste für das Beispiel herhalten. Außerdem erfahren Sie so auch, wie Sie jederzeit ein zusätzliches Feld in Ihre Datenbank einfügen können:

**1** Klicken Sie in den Symbolleiste auf , um die Listenansicht einzustellen. Blättern Sie dann mit Hilfe der unteren horizontalen Bildlaufleiste so weit nach rechts, bis Sie die Spaltenüberschrift Geburtstag sehen. Klicken Sie auf ein beliebiges Feld dieser Spalte.

**2** Nach einem Mausklick auf das Menü Datensatz setzen Sie den Mauszeiger auf den Befehl

Feld einfügen ▸. Der Pfeil rechts bedeutet, daß sich noch ein weiteres Menü dahinter verbirgt. Das wird jetzt auch sichtbar: 1 Vor... 2 Nach... .

Sie werden es ahnen: Sie können hier mit einem Mausklick entscheiden, ob das neue Feld (also eine neue Spalte) vor oder nach dem Geburtstag eingefügt werden soll. Egal: Wählen Sie hier die zweite Möglichkeit.

**3** Jetzt zeigt Works ein Fenster, in dem Sie den vorgegebenen Feldnamen, der schon markiert ist, sofort überschreiben können. Sinnvoll wäre folgender Name: Feldname: Alter .

**4** Alle anderen Einstellungen können Sie einfach übergehen. Klikken Sie dann auf Hinzufügen .

**5** Sofort ist die neue Spalte zu sehen. Außerdem gibt es im Fenster plötzlich eine neue Schaltfläche: Klicken Sie anschließend auf Fertig , denn weitere Felder sollen jetzt nicht hinzukommen.

**6** Klicken Sie nun in eine beliebige Zelle der neuen Altersspalte, tippen Sie folgenden Ausdruck ein, und beenden Sie die Eingabe mit der ↵-Taste:

=JAHR(JETZT()-Geburtstag)

**7** Sofort zeigt Works das Alter in Jahren an. Nicht schlecht, oder? Mehr über solche Berechnungsformeln können Sie in der sehr guten Online-Hilfe von Works nachlesen.
Jetzt gilt es noch, eine kleine Schönheitsreparatur im Formular vorzunehmen.

Klicken Sie dazu auf .

**8** Works hat das neue Feld im Formular ganz oben links eingefügt, hält sich also nicht an die Listenreihenfolge. Macht aber nichts. Klicken Sie auf das neue Feld, und ziehen Sie es mit gedrückter Maustaste an eine geeignete Stelle im Formular. So einfach können Sie übrigens beliebige Formulare gestalten und die Positionen von Feldern verändern.

**9** Jetzt noch mit einem Mausklick auf  zur Formularansicht – fertig.

# Datenbankfelder schützen

Angenommen, Sie haben ein Formular entworfen und wollen nicht, daß ein anderer unbeabsichtigt (oder doch beabsichtigt) den Inhalt eines Feldes verändert. Kein Problem:

**1** Klicken Sie auf

, und markieren Sie das gewünschte Feld mit einem Mausklick.

**2** Klicken Sie im Menü Format auf den Befehl Feldschutz... .

**3** Ein kleines Fenster wird sichtbar. Klicken Sie in das weiße Quadrat, um den Feldschutz einzuschalten:

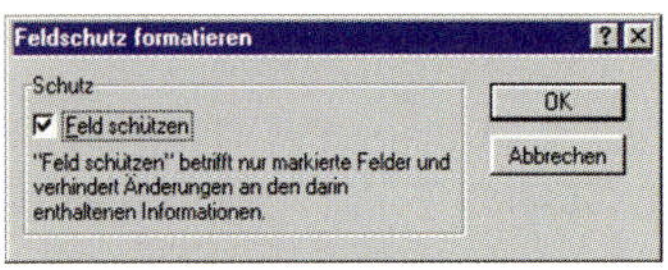


**4** Nun noch auf OK geklickt, und das gewünschte Feld kann nicht mehr verändert werden – es sei denn, Sie heben den Feldschutz mit der beschriebenen Vorgehensweise wieder auf.

# Gas geben mit Autoberichten

Erinnern Sie sich an den Entwurf der Mitgliederliste: Da gab es leider noch keine Möglichkeit, eine Liste aller Mitglieder nach Abteilung zu erstellen. (Woher soll Works auch wissen, daß Sie ein solches Feld neu einbauen?) Das läßt sich mit einem Autobericht (der nichts mit der AutoBILD zu tun hat) jetzt blitzschnell nachholen:

**1** Wählen Sie im Menü Extras den Befehl AutoBericht... .

**2** Im Fenster geben Sie einen Namen für den neuen Bericht ein und klicken dann auf OK. Achtung: Sie können für den Namen nur 15 Zeichen verwenden:

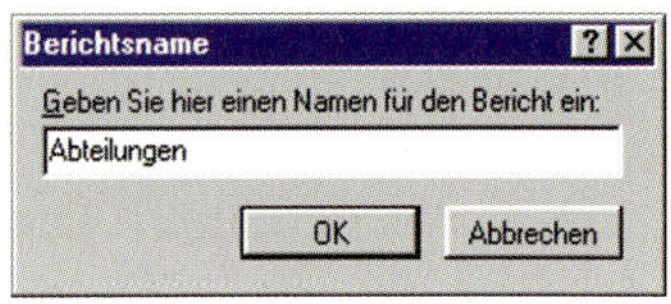


**3** Ein neues Fenster wird sichtbar, das mehrere Registerkarten zeigt. Auf der ersten können Sie festlegen, ob Sie den Bericht im Hoch- oder im Querformat sehen wollen. Belassen Sie in diesem Beispiel alle Einstellungen, wie sie sind, und klicken Sie auf

Weiter>.

um die nächste Registerkarte in den Vordergrund zu bringen.

**4** Nun können Sie die Felder in der Liste auf der linken Seite aussuchen, die in Ihrem Bericht erscheinen sollen. Am schnellsten geht's, wenn Sie auf die gewünschten Felder doppelklikken. Sie werden dann in das anfangs leere rechte Listenfenster übernommen.

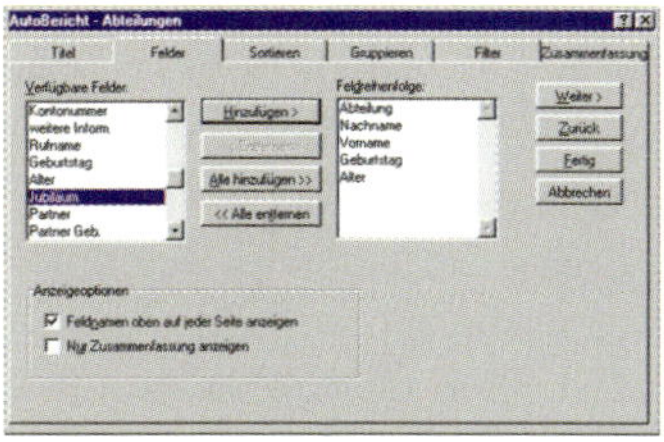


**5** Nach [Weiter>] geht's zur nächsten Registerkarte. Hier können Sie bis zu drei Sortierkriterien festlegen. Die Liste soll ja alle Mitglieder nach Abteilungen zusammenfassen, also ist dieses Feld das erste Sortierkriterium. Klikken Sie daher oben beim ersten Kriterium auf den Pfeil rechts:

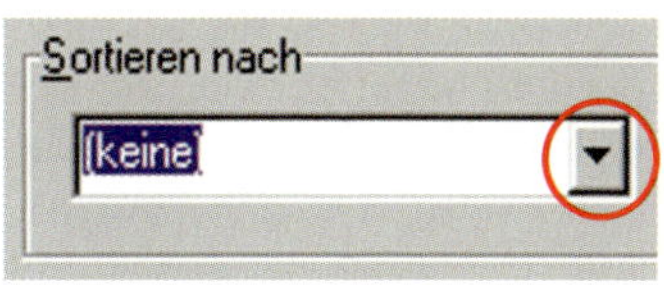


Jetzt wird wieder die Liste aller Feldnamen sichtbar. Klicken Sie auf das Feld mit dem Namen „Abteilung". Es wird sofort in der Eingabezeile übernommen. Als zweites Sortierkriterium könnten Sie jetzt noch den Namen, als drittes den Vornamen festlegen.

**6** Wenn Sie fertig sind, klicken Sie auf [Weiter>].

**7** Die nächste Registerkarte ist ebenfalls ganz nützlich. Auf ihr können Sie zum Beispiel festlegen, daß jedesmal, wenn eine neue Abteilung angezeigt werden soll, zuvor eine Leerzeile eingefügt wird. Das erhöht die Lesbarkeit. Klicken Sie dazu auf [☑ Bei Inhaltsänderung].

**8** Das soll jetzt genügen: Nach einem Mausklick auf [Fertig] zeigt Works eine merkwürdige Tabelle an, die sogenannte „Berichtsdefinition". Das ist vergleichbar mit der Entwurfsansicht für Formulare:

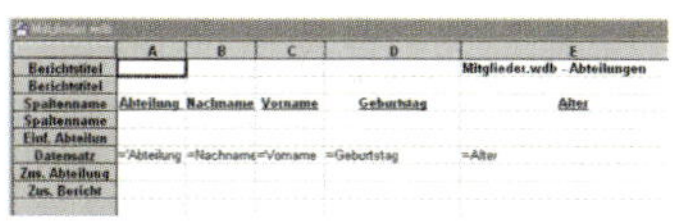


**9** In einem eigenen Fenster können Sie nun wählen, ob Sie diese Berichtsdefinition noch nachbearbeiten oder sich lieber das Ergebnis in einer Vorschau anschauen wollen. Da Sie bestimmt neugierig auf das Ergebnis sind, klicken Sie auf [Vorschau].

**! Berichtsdefinition**

Hier werden die grundlegenden Einstellungen wie Sortierkriterien oder Felder festgelegt. Sie können sie jederzeit noch bearbeiten, andere Felder einfügen oder auch mit Hilfe von Formeln automatische Berechnungen ausführen lassen. Allerdings stehen nur wenige Formeln zur Verfügung, die Sie verwenden dürfen.

**10** Die Seitenvorschau zeigt nun in der Tat Ihre Mitgliederliste, akribisch nach Abteilungszugehörigkeit sortiert. Wenn Sie wollen, können Sie sie nun sofort ausdrucken.

## So vieles bleibt noch offen...

Natürlich ist in diesem Kapitel nur ein Bruchteil dessen erwähnt, was Sie alles mit einer Datenbank so alles anfangen können. Wichtiger war es, einige grundlegende Tips zum ersten Einsatz zu geben.

Vor allem bei umfangreicheren Datenbeständen wird es zum Beispiel wichtig, einzelne Datensätze gezielt suchen zu können. Auch dabei liefert Works Ihnen eine ganze Menge Hilfestellungen. So können Sie gezielt nach einem einzelnen Datensatz suchen, etwa einem bestimmten Namen. Sie können aber auch eine Reihe von Datensätzen aus dem Gesamtbestand aller Daten wie mit einem Sieb das Gold aus dem Sand herausfiltern.

Bei einer Kundenkartei könnten Sie sich zum Beispiel alle Kunden anzeigen lassen, die in einem bestimmten Postleitzahlgebiet wohnen. Oder eine Videothek könnte sich alle Kunden anzeigen lassen, die schon seit einer bestimmten Zeit keinen Film mehr ausgeliehen hat. Vielleicht hilft ein Werbebrief an diese Kunden, sie wieder in die Videothek zu bringen.

Letzteres wäre übrigens auch ein hübsches Beispiel für Serienbriefe – aber wie anfangs schon erwähnt, dieses Thema finden Sie in einem speziellen Kapitel weiter hinten.

Experimentieren Sie ruhig mit allen möglichen Datenbankfunktionen. Wenn Sie einmal nicht weiterkommen, genügt oft ein Blick in die Hilfestellung. Vielleicht finden Sie aber auch den passenden Tip in ComputerBILD: Da ist Works für Windows immer wieder einmal ein eigenes Thema.

# 6 Gut rechnen mit der Tabellenkalkulation

Schon der Name verrät hier einiges darüber, woraus dieser Programmteil aufgebaut ist und wozu er überwiegend dient. Nach dem Start aus Fenster Works-Start mit einem Mausklick auf

präsentiert Works ein großes leeres Arbeitsblatt, das aus lauter Spalten und Zeilen besteht, ähnlich einem Blatt mit lauter Rechenkästchen: die Tabelle. In die einzelnen Zellen dieser Tabelle können Sie nun bestimmte Werte, also Zahlen, Datumsangaben, Währungsbeträge oder auch Formeln eintragen. Aber auch Texte können Sie in beliebige Zellen eintippen.

Die Formeln wurden schon erwähnt: Der Vorteil einer Tabellenkalkulation besteht darin, daß Sie sehr einfach mit den Inhalten von Zellen Berechnungen ausführen können. Das geht natürlich auch mit einem Taschenrechner, werden Sie jetzt vielleicht sagen. Stimmt natürlich auch. Aber bei einem Taschenrechner müssen Sie meist alle Werte immer wieder neu eingeben und das Ergebnis ausrechnen, wenn sich auch nur ein einzelner Wert ändert. Bei Works ändern Sie nur den Inhalt einer Zelle, und schon sehen Sie das neue Ergebnis.

Und das ist praktisch, denn so lassen sich zum Beispiel unterschiedliche monatliche Kreditzahlungen sehr einfach ermitteln, indem Sie lediglich einzelne Faktoren wie Laufzeit oder Zinssatz verändern. Ideal also, um etwa Angebote mehrerer Banken miteinander zu vergleichen.

Genauso praktisch ist es, daß Sie für viele Bereiche gar keine komplizierten Formeln selbst zusammenstellen müssen. Works enthält dafür eine Vielzahl fertiger Funktionen, die Ihnen die Arbeit erleichtern und vor allem Tippfehler bei der Eingabe vermeiden helfen.

Natürlich läßt sich mit einer Tabellenkalkulation noch sehr viel mehr erledigen. Zahlreiche Anregungen werden Sie in den nachfolgenden Tips in diesem Kapitel finden. Aber wenn Sie möglicherweise noch nie mit einem solchen Programm gearbeitet haben, sollten Sie zumindest einige Grundbegriffe dieser Software-Gattung kennen, die hier eine wichtige Rolle spielen.

# Zelle & Co: die wichtigsten Begriffe im Überblick

Es gibt eine Reihe von Begriffen, die bei der Arbeit mit der Tabellenkalkulation immer wieder eine Rolle spielen.

**Kalkulationstabelle:** Das ist das eigentliche Arbeitsblatt der Tabellenkalkulation. Es besteht aus insgesamt 256 Spalten und 16384 Zeilen. Das ist ein riesiger Bereich mit viel Platz für Daten und Berechnungen, der natürlich nicht auf einmal auf dem Bildschirm zu sehen ist. Sie sehen immer nur einen Ausschnitt daraus. Mit den Bildlaufleisten können Sie aber durch die gesamte Tabelle blättern.
Jede Zeile dieser Tabelle ist mit einer Nummer bezeichnet, die immer am linken Rand der Tabelle zu sehen ist. Dieser Bereich nennt sich deshalb auch Zeilenkopf: 

.
Jede Spalte dagegen trägt als Bezeichnung einen Buchstaben des Alphabets. Die erste hat also den Namen A. Diese „Überschriften" nennen sich auch Spaltenköpfe:

.

Haben Sie es gemerkt? Vorhin war von 256 Spalten die Rede, das Alphabet kennt aber nur 26 Buchstaben. Das macht aber nichts, da ab Spalte 27 einfach ein zweiter Buchstabe verwendet wird. Sie heißt dann also AA, die nächste AB. Nach AZ kommt dann BA, dann BB. Schluß ist folglich bei Spalte IV.

**Zelle:** Spalten und Zeilen haben einen Schnittpunkt, die Zelle. In Zellen werden Daten eingegeben. Die Bezeichnung einer Zelle richtet sich nach der beteiligten Spalte und Zeile. Die erste Zelle in einer Tabelle trägt daher die Bezeichnung A1.
Wenn Sie auf eine Zelle klicken oder auch einen Bereich aus mehreren Zellen markieren, wird dies übrigens oberhalb der Tabelle jederzeit zur Kontrolle angezeigt:

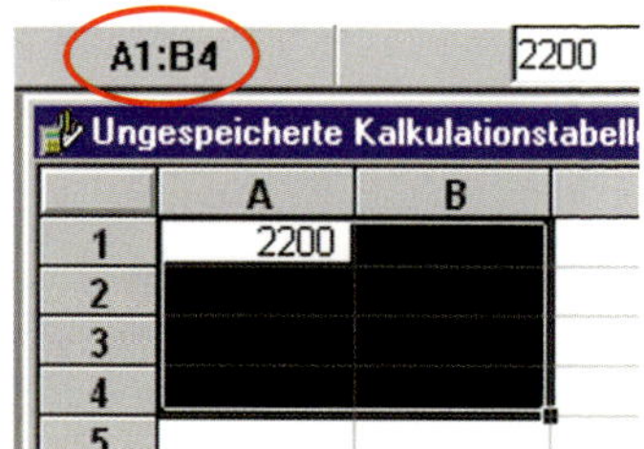


**Bearbeitungszeile:** Es gibt zwei Möglichkeiten, den Inhalt einer Zelle zu bearbeiten: einmal in der Zelle selbst, zum zweiten in der Bearbeitungszeile, die Sie direkt unter der Symbolleiste sehen. Wenn Sie einmal auf eine Zelle mit Inhalt klicken, wird der Inhalt zusätzlich auch in der Bearbeitungszeile sichtbar. Nach einem Doppelklick auf eine Zelle oder einem Klick direkt in die Eingabezeile können Sie auch sofort den Inhalt einer Zelle ändern oder neue Daten eingeben.

**Formel:** Eine Formel, die weltweite Berühmtheit erlangt hat (wenngleich sie kaum jemand versteht), ist unzertrennlich mit Albert Einstein und seiner Relativitätstheorie verbunden: $E=m * c^2$. Sie zeigt aber sehr schön, was mit einer Formel gemeint ist: Aus einer Reihe von Operatoren, die nach dem Gleichheitszeichen folgen, wird ein bestimmtes Ergebnis ermittelt. Mit Hilfe von Formeln können Sie also mit den Inhalten einer Tabelle rechnen, Summen bilden, sie multiplizieren oder auch Potenzen berechnen.
Formeln beginnen immer mit einem Gleichheitszeichen. Um zum Beispiel das Produkt aus den Zahlen 15,5 und 28,1 zu berechnen, tippen Sie in eine Zelle diese Formel ein: =15,5*28,1.

**Funktionen:** Das sind im Grunde spezielle Formeln, die meist vom Aufbau her so komplex sind, daß sie ohnehin kaum jemand im Gedächtnis behalten kann. Works kennt bereits eine Vielzahl solcher Funktionen, etwa zur Zinsenberechnung. Vorteil: Sie müssen nur noch einige wenige Platzhalter in einer Funktion mit den passenden Werten austauschen, schon liefert Works das korrekte Ergebnis.
Wie die Formel aufgebaut ist, spielt dabei keine Rolle. Bestes Beispiel: Wie berechnen Sie den Zinseszins einer regelmäßigen Anlage? Hut ab, wenn Sie die Formel jetzt spontan aus dem Hut zaubern können. Für alle anderen wäre die Funktion ZW(Zahlung;Zins;Zeitraum) eher angebracht. Aus den Bezeichnungen sehen Sie schon, welche Angaben Works für die Funktion benötigt.

**Bezüge:** Das ist ein wichtiger Begriff, der für die praktische Arbeit von großer Bedeutung ist. Wenn Sie zum Beispiel eine Formel eingeben, können Sie auch Bezüge zu anderen Zellen herstellen. Das heißt: Sie rechnen nicht mit irgendwelchen konstanten Zahlen, sondern mit dem, was gerade in einer Zelle steht. Beispiel: =A1+A2 berechnet die Summe der Zahlen, die in den Zellen A1 und A2 stehen. Vorteil eines solchen Bezugs: Ändern Sie beispielsweise den Inhalt der Zelle A2, liefert Works sofort das neue Ergebnis.
Bezüge auf andere Zellen können unterschiedlich gestaltet sein. Zu unterscheiden sind relative, absolute und gemischte Bezüge. Da die beiden erstge-

nannten für Ihre praktische Arbeit eine wichtige Rolle spielen, lohnt es sich, die Unterschiede einmal an einem einfachen Beispiel zu erläutern. Wenn Sie das Prinzip einmal verstanden haben, werden Ihnen scheinbar unerklärliche Fehler beim Rechnen mit Formeln und Funktionen nur noch selten begegnen.

**Relativer Bezug:** Angenommen, Sie haben in Zelle A3 die Formel =A1+A2 eingetragen. Zelle A3 enthält jetzt in der Formel relative Bezüge: Die Summenformel besagt hier nämlich, daß die beiden unmittelbar darüberliegenden Zellen (hier: A1 und A2) für die Summenbildung herangezogen werden. Kopieren Sie nun die Formel in Zelle B3 (zum Beispiel über Strg und Einfg und dann Shift und Einfg), erkennt Works den relativen Bezug: Die Summe soll aus den beiden direkt darüberliegenden Zellen ermittelt werden. Da die Formel nun in Zelle B3 steht, verändert sich also die Formel automatisch in =B1+B2. Wenn Sie sich das Bild anschauen, kommt also als Summe 700 heraus.

| | A | B |
|---|---|---|
| 1 | 200 | 400 |
| 2 | 1600 | 300 |
| 3 | 1800 | =B1+B2 |
| 4 | | |

Meistens ist dieser Effekt ja gewollt, weil Ihnen das viel Schreibarbeit ersparen kann. Was aber, wenn Sie die Formel an eine andere Stelle der Tabelle kopieren und nicht den Bezug auf die Zellen A1 und A2 verlieren wollen?

**Absoluter Bezug:** Sie können in der Formel festlegen, daß sie – egal wohin sie später auch kopiert werden mag – immer auf eine bestimmte Zelle oder einen bestimmten Bereich mehrerer Zellen verweist. Dazu stellen Sie einen absoluten Bezug her. Das geschieht ganz einfach, indem Sie vor Spalten- und Zeilenbezeichnung jeweils ein Dollarzeichen setzen. Bei dem Beispiel hieße also die Summenformel in A3 jetzt =$A$1+$A$2 . Kopieren Sie nun die Formel wie zuvor nach B3, steht dort anschließend wie in A3 der Wert 1800.

> **! Bereichsbezug**
>
> Sie können auch einen Bereich von Zellen, dem Sie einen bestimmten Namen zugewiesen haben, für einen absoluten Bezug verwenden, indem Sie ebenfalls vor dem Namen ein Dollarzeichen eintragen.

Sie können jederzeit auch eine Mischung aus relativem und absolutem Bezug herstellen und entweder vor die Spalten- oder die Zeilenbezeichnung ein Dollarzeichen setzen. Works erkennt automatisch, wo es etwas verändern darf.

# Der Ball kommt ins Rollen: der erste Auftrag

Doch genug der grauen Theorie, jetzt geht es in die Praxis. Dazu eignet sich sehr gut ein Bestellformular, das Sie mit Hilfe des Assistenten entwickeln können. Anhand dieses Formulars, das hier zur Bestellung von Trainingsanzügen und Bällen für die Fußballabteilung des TSV Musterstadt dienen soll, werden Sie zugleich einige interessante Tips und Tricks zur Gestaltung von Formularen und zur Arbeit mit Formeln erfahren. Zunächst aber zum Formular selbst:

**1** Starten Sie Works von der Windows-Oberfläche aus mit einem Doppelklick auf

.

**2** Sie sehen nun ein Fenster mit dem Titel Works-Start. Falls die zugehörige Registerkarte noch nicht im Vordergrund ist, klicken Sie auf

Assistenten.

**3** Auf der linken Seite sind eine Reihe von Assistenten zu sehen. Klicken Sie hier einmal auf

Geschäftsverwaltung. Das ist ein Oberbegriff, zu dem eine ganze Reihe von Assistenten gehören, die nun sichtbar werden. Diese sind alphabetisch geordnet:

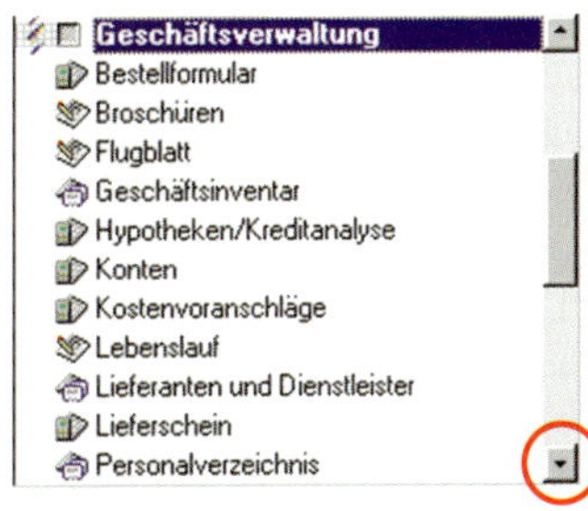


**4** Es gibt übrigens noch weitere Assistenten, die sichtbar werden, wenn Sie auf den unteren Pfeil der Bildlaufleiste klicken. Hier interessiert jetzt aber nur der erste Eintrag, weil ja eine Bestellung vorgenommen werden soll. Doppelklicken Sie also auf

Bestellformular.

**5** Jetzt verlangt Works noch einmal eine Bestätigung dafür, daß Sie den Assistenten wirklich starten wollen. Klicken Sie beherzt auf

Ja, Assistenten ausführen.

Da diese Rückfrage auf Dauer nerven

kann, sollten Sie mit einem Mausklick auf das Häkchen bei

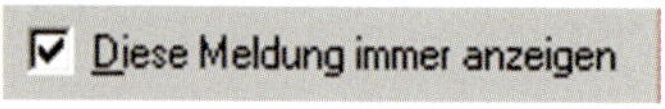


diese Meldung für die Zukunft jetzt generell ausschalten.

**6** Nun zeigt Works ein weiteres Fenster, in dem Sie zwischen drei unterschiedlich gestalteten Formularen auswählen können. Den ungefähren Aufbau der Formulare erkennen Sie in einer Art Vorschau:

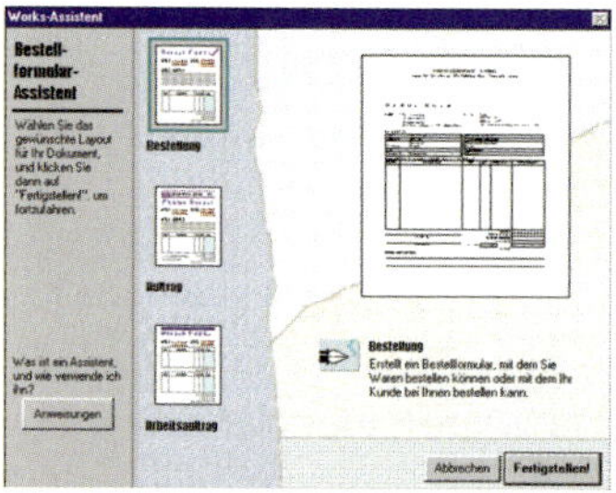


**7** Wenn Sie an dieser Stelle mehr über die Arbeitsweise des Assistenten wissen wollen, klicken Sie nun auf

.

Wenn Sie alles gelesen haben, klicken Sie auf

.

**8** Da eine Bestellung erfolgen soll, klicken Sie jetzt zuerst auf

. Am grünen Rand erkennen Sie übrigens immer, welche Auswahlmöglichkeit aktiv ist.

**9** Schließen Sie nun die Vorbereitung mit einem Mausklick auf

ab.

Schon nach kurzer Zeit wird das fertige Formular auf dem Bildschirm sichtbar. Sie können nun sofort loslegen, und es für Ihre Bestellung verwenden – oder es erst einmal genauer untersuchen. Denn der Assistent hat einige kleine Tricks eingebaut, die für Ihre eigene Arbeit nicht ganz uninteressant sein dürften. Und da Sie alle denselben Assistenten zur Verfügung haben und dasselbe Formular auf den Bildschirm bringen können, ohne irgend etwas vorher eintippen zu müssen, sind das ideale Voraussetzungen dafür, einige besondere Fähigkeiten von Works näher vorzustellen.

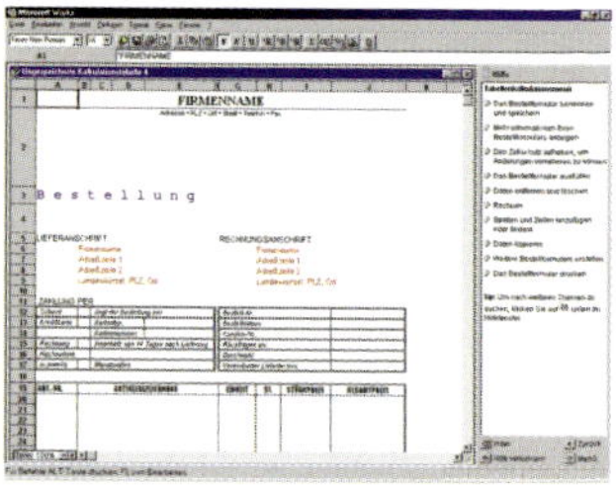

# Sicher ist sicher: Zellen vor Überschreiben schützen

Anhand der typischen Spalten- und Zeilenköpfe ist unschwer zu erkennen, daß es sich hier um eine Kalkulationstabelle handelt. Das Formular sieht professionell aus, enthält aber zum Beispiel mit dem Absender nur allgemeine Angaben, die Sie auf Ihre eigenen Belange ändern müssen. Zuerst also der Firmenname: Dieser ist hier ab Zelle E1 zu sehen:

Die naheliegende Idee, um diesen Eintrag zu ändern, wäre also folgende:

**1** Doppelklicken Sie auf Zelle E1. Sofort wird auch eine Einfügemarke sichtbar, wenngleich sie merkwürdigerweise ganz auf die rechte Seite rutscht. Naja, vielleicht ist die Zelle ja rechtsbündig formatiert. Tippen Sie jetzt also Ihren Namen ein, zum Beispiel „TSV Musterstadt", und drücken Sie die ↵-Taste.

**2** Das einzige Ergebnis: Works meldet in einem Fenster, daß diese Zelle geschützt ist. Zugleich bietet es aber Hilfestellungen dafür an, wie dieser Zellschutz beseitigt werden kann:

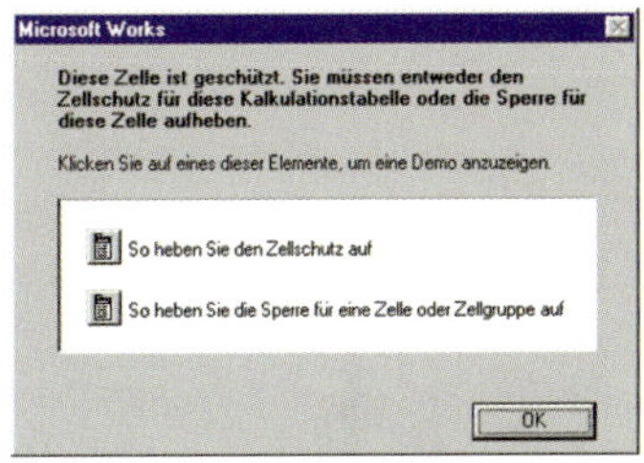


Klicken Sie auf  , um erst einmal weiterzumachen.

**3** Die Zelle E1 ist immer noch markiert. Wenn Sie jetzt mal einen Blick in die Bearbeitungszeile werfen, stellen Sie fest, daß diese völlig leer ist. In der Zelle E1 ist also gar nichts vorhanden, obwohl dort scheinbar Works schon etwas eingetragen hat. Des Rätsels Lösung: Klicken Sie in Zelle A1, wird auch in der Bearbeitungszeile ein Eintrag sichtbar:  .

**4** Diesen Eintrag können Sie nun sogar mit TSV Musterstadt überschreiben. Diese Zelle ist also wohl nicht geschützt. Falls Sie sich jetzt wundern, wo Works den neuen Firmennamen hinschreibt: Über die merkwürdige

Position des Firmennamens werden Sie gleich noch mehr erfahren.

**5** An den beiden Zellen E1 und A1 haben Sie jetzt schon eine wichtige Eigenschaft kennengelernt: Es ist also möglich, einzelne oder auch mehrere Zellen in einem Tabellenblatt vor Überschreiben zu schützen. Das ist sehr praktisch, wenn Sie eigene Formulare entwerfen, in die andere Anwender etwas eintragen sollen. Mit geschützten Zellen können Sie vermeiden, daß Ihre Texte überschrieben oder Eingaben in falschen Zellen vorgenommen werden. Um zu zeigen, wie einfach so etwas geht, werden Sie Ihren neuen „Firmennamen" nun ebenfalls vor Überschreiben schützen. Klicken Sie dazu auf Zelle A1.

**6** Im Menü Format klicken Sie auf den Befehl Zellschutz... .

**7** Ein Fenster wird sichtbar. Im oberen Bereich können Sie mit einem Mausklick eine (oder mehrere) markierte Zellen vor Eingaben sperren:

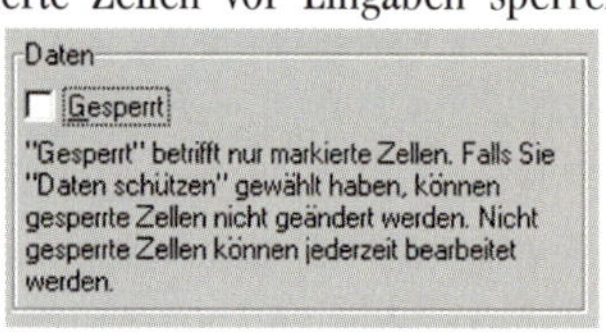


Ist dort wie im Bild kein Häkchen zu sehen, klicken Sie einmal auf das leere Kästchen, um die Sperre einzuschalten.

**8** Die Sperre tritt allerdings erst dann in Kraft, wenn unten im Fenster auch wirklich der Datenschutz aktiv ist, also auch dort ein Häkchen zu sehen ist. Sind schon andere Teile der Tabelle wie hier bei diesem Bestellformular geschützt, ist der Datenschutz automatisch aktiviert.

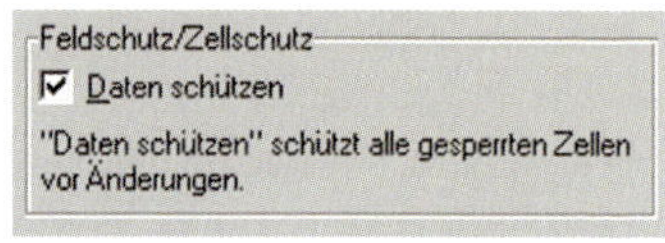


Um A1, also Ihren Firmennamen, vor Überschreiben zu schützen, müssen beide Häkchen zu sehen sein.

Achtung: Wenn Sie später einmal in diesem Formular eine bestimmte Zelle, etwa A1, wieder freigeben wollen, geht das ebenfalls über Format und Zellschutz... . Achten Sie dann darauf, daß Sie lediglich mit einem Mausklick das

Häkchen für das Einstellen der Sperre löschen, aber den Datenschutz an sich aktiviert lassen:

Sonst ist nämlich auch der Rest der Tabelle nicht mehr vor Überschreiben geschützt. Und das passiert, wenn Sie der Hilfe von Works an dieser Stelle vertrauen und statt Sperre den Datenschutz ausschalten, wie es die Hilfestellung zu diesem Thema vorschlägt (siehe Seite 72).

# Die Überschrift: Zellen speziell ausrichten

Normalerweise können Sie Texteingaben in eine Zelle linksbündig, rechtsbündig oder auch zentriert anordnen lassen. Aber das gilt dann zunächst nur für die Zelle selbst. Im Beispiel des Bestellformulars können Sie aber feststellen, daß der Eintrag in Zelle A1 scheinbar gar mehr in A1 zu sehen ist, sondern als Überschrift zentriert über der gesamten Tabelle dargestellt wird. Das ist generell sehr praktisch, um solche Überschriften zu erzeugen, ohne sich selbst Gedanken über die passende Positionierung machen zu müssen. So geht's:

**1** Falls in der Tabelle mit einem Zellschutz gearbeitet wird, müssen Sie diesen zuerst ausschalten. Markieren Sie die gesamte Tabelle, indem Sie auf das unbeschriftete Feld oberhalb der Zeilen- und links der Spaltenköpfe klikken:

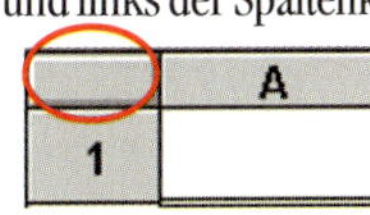


.

**2** Wählen Sie dann im Menü Format den Befehl Zellschutz... . Im Fenster löschen Sie dann mit einem Mausklick das Häkchen für den Datenschutz.

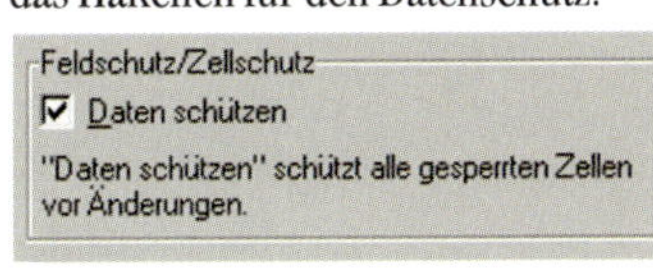


**3** Markieren Sie nun in der Zeile, in der die Überschrift zentriert dargestellt werden soll, die passenden Zellen. Soll beispielsweise die Überschrift im Bereich der Zellen A1 bis H1 erscheinen, markieren Sie die Zellen A1 bis H1.

> **! Zellschutz**
>
> Die Schritte 1 und 2 sind notwendig, wenn Ihnen im Menü Format fast alle Befehle zur Formatierung nicht zur Verfügung stehen. Ein solches „leeres" Menü wie im folgenden Bild ist also immer ein sicherer Hinweis darauf, daß mit einem Zellschutz gearbeitet wird.
>
> 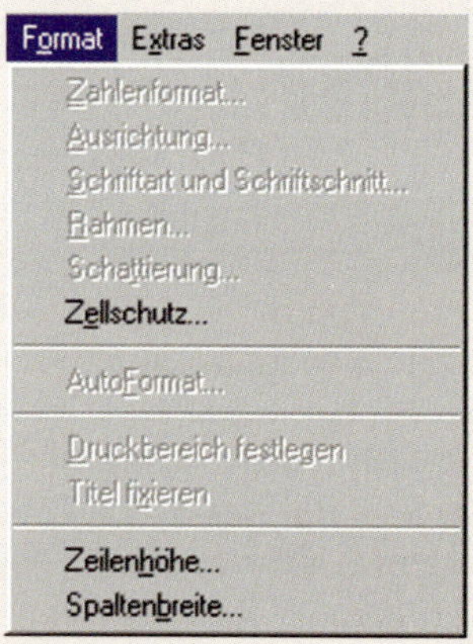
> 

**4** Klicken Sie auf die Zelle, in der die Überschrift eingetragen ist. Im Beispiel ist es die Zelle A1.

**5** Wählen Sie dann im Menü Format den Befehl Ausrichtung... .

**6** Daraufhin wird ein Fenster sichtbar, in dem Sie für die Zelle unterschiedliche Ausrichtungen festlegen können. Hier interessiert momentan nur die horizontale:

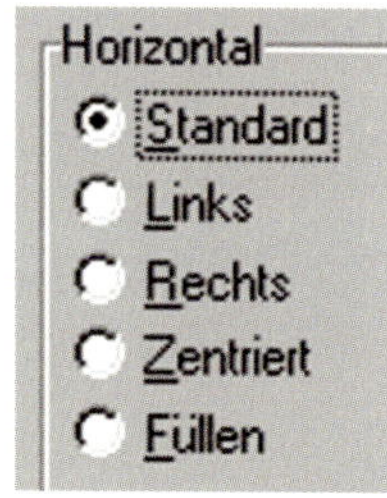


Normalerweise hat Works immer die Standardausrichtung eingestellt: Standard. Das kennen Sie vielleicht schon, wenn Sie schon ein wenig mit der Tabellenkalkulation probiert haben: Texte werden dann beispielsweise standardmäßig linksbündig, Zahlen rechtsbündig in der Zelle dargestellt.
Etwas darunter gibt es jedoch eine weitere Einstellmöglichkeit für horizontale Ausrichtungen:

Markiertes zentrieren.

Klicken Sie auf den weißen Kreis. Ein schwarzer Punkt wird darin sichtbar. Der zeigt, daß diese Funktion nun eingeschaltet ist.

**7** Mit OK schließen Sie das Fenster wieder. Sofort scheint die Überschrift aus der Zelle A1 zu verschwinden und liegt genau zentriert im Bereich der eingangs markierten Zellen A1 bis H1.

# Profitip: Nullwerte vermeiden

Ein ausgesprochen nützlicher Tip für die Praxis läßt sich ebenfalls aus dem Bestellformular ableiten, das Sie im Tip „Der Ball kommt ins Rollen“ mit dem Assistenten erzeugt haben. Da sind nämlich schon bei der Ermittlung des Preises Formeln eingetragen, die anhand der Stückzahlen und des Stückpreises den Nettopreis ermitteln:

| ST. | STÜCKPREIS | GESAMTPREIS |
|---|---|---|
| | | =WENN(I20*H20;I20*H20;"") |

Grundsätzlich wäre allerdings folgende Formel völlig ausreichend:

=I20*H20

Dabei sei hier vorausgesetzt, daß in Zelle I20 die bestellte Stückzahl (zum Beispiel 10), in Zelle H20 der Einzelpreis (zum Beispiel 19,95 Mark) eingetragen werden:

| ST. | STÜCKPREIS | GESAMTPREIS |
|---|---|---|
| 10 | 19,95 DM | 199,50 DM |

Sobald Sie jetzt also beide Werte eintragen, berechnet Works anhand der Formel den korrekten Betrag.

Das Problem: Wenn Sie die Formel so verwenden, erscheint in den Zellen, in denen diese Formel auftritt, immer ein Nullwert, wenn für Stückzahl oder Stückpreis noch nichts eingegeben wurde. Grund: Eine leere Zelle interpretiert Works als Null. Die Berechnung wird ausgeführt, und das Ergebnis lautet dann natürlich auch Null.

Im leeren Formular ist das natürlich mehr als lästig. Mit folgendem kleinen Trick, den Works hier auch schon vorführt, können Sie die Ausgabe von Nullwerten generell vermeiden:

**1** Mit einer WENN()-Abfrage überprüfen Sie, ob in den Zellen I20 und H20 jeweils ein Eintrag vorhanden ist. Der allgemeine Aufbau der WENN()-Funktion lautet:

=WENN(Wahrheitsprüfung;DannWert;SonstWert)

Plastisch übersetzt lautet die Abfolge so: Zuerst wird überprüft, ob der erste Parameter „Wahrheitsprüfung“ erfüllt und wahr ist. Wahr bedeutet, daß er nicht Null ist. Und das geht nur, wenn in beiden Zellen ein Wert eingetragen ist. Ist dies erfüllt, führt Works das aus, was als Parameter „DannWert“ angegeben ist. Andernfalls wird die Anweisung im Parameter „SonstWert“ ausgeführt.

Noch nicht plastisch genug? Der Aufbau entspricht dem folgenden Schema: „Wenn ich Durst habe, trinke ich etwas. Sonst trinke ich nichts.“

Das wird jetzt in eine Form übertragen, die Works verstehen kann. Und zwar zunächst Schritt für Schritt zum Nachvollziehen:

=WENN(I20*H20;

Die Wahrheitsprüfung lautet hier also:

Ist das Produkt aus Stückzahl und Stückpreis ungleich Null? Null können sie ja nur sein, wenn einer der eingetragenen Werte Null ist (oder ein oder auch beide Angaben noch fehlen).

**2** Sind jetzt beide Angaben korrekt vorhanden, geht es mit der Anweisung im „DannWert" weiter:
=WENN(I20*H20;I20*H20;

**3** So: Beide Einträge sind ungleich Null und somit vorhanden, also kann jetzt tatsächlich das Ergebnis des Produkts ausgerechnet werden. Denn hätte die Wahrheitsprüfung Null ergeben, müßte statt dessen die nächste Anweisung „SonstWert" ausgeführt werden:
=WENN(I20*H20;I20*H20;"„)
Die beiden Anführungszeichen bedeuten hier lediglich: In diesem Fall tue gar nichts. Also Hände weg von der Berechnung, die muß jetzt nicht ausgeführt werden. Und das heißt für Works: In die Zelle wird auch gar nichts eingetragen, sie bleibt leer.
Anhand dieser Beschreibung der nützlichen WENN()-Funktion werden Sie jetzt in der Lage sein, ähnliche Probleme sehr schnell zu vermeiden.

**! Verschachtelte WENN()-Abfragen**

Übrigens können Sie solche Funktionen verschachteln und zum Beispiel im Parameter „DannWert" eine weitere WENN()-Abfrage einbauen. Etwa um zu überprüfen, ob die Stückzahl kleiner als 10 ist und damit die maximale Abgabemenge erfüllt ist. Allerdings sind verschachtelte Funktionen meist nicht ganz so einfach, weil sich dabei leicht Fehler wie fehlende Klammern oder Parameter einschleichen können.

# Formulare als Vorlage sichern

Es sieht schon toll aus, was der Assistent Ihnen da als Bestellformular hingezaubert hat. Es hat nur einen Haken: Wenn Sie jetzt im Formular Ihre Änderungen – wie Firmenname und Anschrift – eintragen, gilt diese Änderung natürlich nicht für den Assistenten selbst. Der würde beim nächsten Aufruf wieder das Formular im Originalzustand auf den Bildschirm bringen, also mit allgemeinen Angaben wie „Firmenname". Und die Arbeit der Änderung müßte wiederholt werden.
Klar, werden Sie jetzt vermuten, das

muß ja wohl nicht sein. Stimmt: Es gibt zwei Möglichkeiten. Erstens: Sie können das fertig ausgefüllte Formular speichern und später wieder bei Bedarf öffnen. Nachteil: Alle eingegebenen Werte müssen dann meist neu eingetippt und überschrieben werden. Zweitens: Sie speichern das neue Formular als Vorlage, sobald Sie die allgemeinen Angaben korrigiert und das Formular an Ihre eigenen Bedürfnisse angepaßt haben. Vorteil: Sie haben immer wieder ein fertiges Formular zur Hand, in das Sie sofort Ihre neuen Bestellungen eintragen können, ohne vorhandene Werte löschen oder überschreiben zu müssen. Und das geht ganz einfach:

**1** Im Menü Datei klicken Sie auf den Befehl Speichern unter... .

**2** Ein Fenster wird sichtbar, in das Sie wie gewohnt einen Dateinamen eintragen könnten. Das ist aber unnötig: Klicken Sie jetzt auf Vorlage... .

**3** Ein weiteres Fenster erscheint. Hier geben Sie nun den Namen ein, unter dem Sie diese Vorlage künftig aufrufen wollen:

Geben Sie einen Namen für die Vorlage ein:
Neues Bestellformular

**4** Angenommen, Sie würden tagtäglich nichts anderes machen als nur Bestellformulare auszufüllen (was ja eher unwahrscheinlich ist), dann können Sie diese Vorlage auch als Standardvorlage für die Tabellenkalkulation einrichten. Dazu können Sie das weiße Quadrat im folgenden Bild anklicken. Derzeit lassen Sie es aber einfach leer:

☐ Diese Vorlage für neue Tabellenkalkulationsdokumente verwenden

**5** Klicken Sie nun auf OK, wird Ihr Formular gespeichert.

**6** Und wie kommen Sie wieder an diese Vorlage, werden Sie jetzt sicher fragen. Kein Problem: Sie müssen sich die Vorlagen nur im Fenster Works-Start auf der Registerkarte Assistenten sichtbar machen. Wie das geht, ist im Kapitel 3 schon ausführlicher beschrieben worden, hier daher nur der „Schnelldurchlauf":

Auf der Registerkarte Assistenten auf Kategorien in anderer Reihenfolge anzeigen klicken, dann Dokumenttyp aktivieren, mit einem Mausklick auf ☐ Vorlagen in Liste anzeigen die Vorlagen einbeziehen und Fenster mit OK schließen.

Danach sehen Sie nicht mehr nur alle Assistenten, auch Ihre Vorlage ist dort aufgeführt:

# Optimale Spaltenbreite einstellen

Natürlich ließe sich eine Menge mehr zum Thema Tabellenkalkulation schreiben. Aber was Sie hier zu Recht erwarten, sind natürlich weitere Tips und Tricks, weniger Grundlagen. Auf die – Sie haben es bestimmt schon gemerkt – wird immer nur dann, wenn es unbedingt nötig ist, kurz eingegangen. Deshalb soll es hier auch gleich weitergehen mit einigen kleinen Tips für die tägliche Praxis zur Tabellenkalkulation. Vor allem dann, wenn Sie in einer Spalte Text eingeben, wird sich die Textlänge in den einzelnen Spalten vermutlich mehr oder weniger stark unterscheiden. Da man vorher meist nicht weiß, wie lang der längste Texteintrag wird, wird zumeist die Spaltenbreite zunächst möglichst breit eingestellt. Nach Beendigung aller Eingaben läßt sich dann blitzschnell die optimale Spaltenbreite einstellen:

**1** Plazieren Sie den Mauszeiger oben genau auf die Linie zwischen den Spaltenköpfen. Der linke Spaltenkopf muß der sein, dessen Spalte auf optimale Breite geändert werden soll:

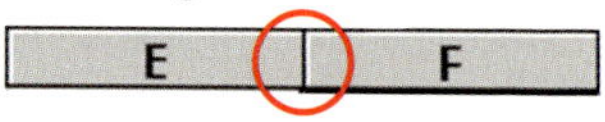


Der Mauszeiger verwandelt sich dabei in einen nach links und rechts gerichteten Pfeil mit einem Spalt dazwischen. Darunter erscheint das Wort „Anpassen".

**2** Doppelklicken Sie jetzt. Sofort wird die links liegende Spalte (hier E) so angepaßt, daß die Breite genau dem längsten Texteintrag entspricht.

# Schnelle Auswertung mit Autoformel

Da haben Sie nun eine ellenlange Spalte mit vielen Zahlen eingetragen und müssen nun zum Beispiel den Mittelwert aus diesen Zahlen ermitteln. Halt, bevor Sie jetzt anfangen, alle Zahlen zu addieren und dann durch die Anzahl der Zahlen zu dividieren, versuchen Sie doch mal folgendes:

**1** Klicken Sie zuerst in eine freie Zelle der Spalte mit den eingegebenen Zahlen. Sinnvoll ist natürlich die nächste freie direkt darunter. Sie können aber prinzipiell jede beliebige freie Zelle verwenden.

**2** Im Menü Extras klicken Sie dann auf den Befehl AutoFormel... .

**3** Daraufhin wird ein Fenster sichtbar, das einige häufig verwendete Berechnungen anbietet. Klicken Sie hier auf Mittelwert.

**4** Ein weiteres Fenster mit einer kurzen Erläuterung zur Berechnung des Mittelwertes erscheint. Haben Sie im Schritt 1 die erste freie Zelle direkt unter den Zahlen genommen, markiert Works automatisch alle Zahlen darüber und trägt den Bereich ins Fenster ein. Sie könnten genauso gut jetzt in der Tabelle den Zahlenbereich mit der Maus markieren, der zur Ermittlung des Mittelwertes dienen soll. Works übernimmt dann den Bereich ebenfalls und trägt ihn automatisch in die Eingabezeile ein. Praktisch, oder?

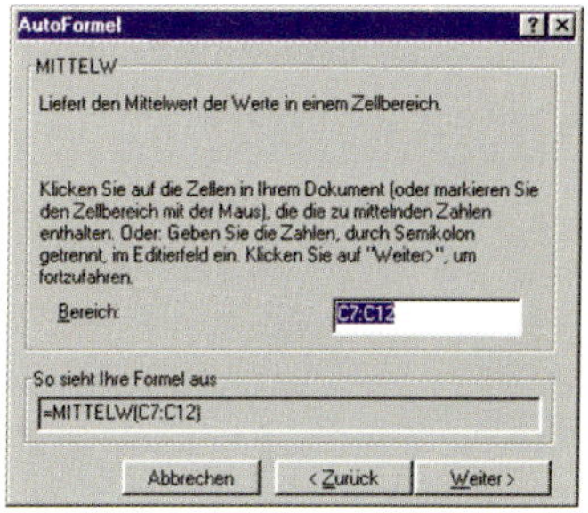


**5** Klicken Sie nun auf Weiter>.

**6** Im nächsten Fenster müssen Sie die Zelle angeben, in der das Ergebnis eingetragen werden soll. Sie können die Vorgabe übernehmen oder auf eine beliebige leere Zelle klicken. Der Zellbezug wird automatisch übernommen.

Klicken Sie dann auf Fertigstellen. Sofort zeigt Works in der ausgewählten Zelle den Mittelwert an. Eventuell müssen Sie sehr einfach in Sekundenschnelle jetzt noch die Zelle mit dem gleichen Zahlenformat formatieren wie die zugehörigen Zellen darüber, weil zum Beispiel nicht automatisch das Währungsformat übernommen wird. Aber das können Sie korrigieren: Ergebniszelle markieren und in der Symbolleiste auf

klicken, schon ist das Währungsproblem beseitigt.

# Die passende Optik dank Autoformat

Sehr große Tabellen werden nicht nur am Bildschirm, sondern auch auf Papier sehr schnell unübersichtlich. Da fällt dann manchmal die Zuordnung von Werten recht schwer. Manch einer nimmt dann beim Ausdruck ein Lineal zur Hilfe, um die Zeilen exakt erkennen zu können. Das muß aber nicht sein. Sie können große Tabellen optisch so gestalten, daß zum Beispiel jede zweite Zeile grau unterlegt wird. So fällt die Orientierung viel leichter. Doch bevor Sie jetzt in mühsamer Handarbeit jede zweite Zeile mit einer grauen Schattierung unterlegen, schauen Sie lieber mal nach, was Works so an Erleichterungen zu bieten hat:

**1** Markieren Sie Ihre Tabelle inklusive der Überschriften.

**2** Wählen Sie dann im Menü Format den Befehl AutoFormat... .

**3** Ein Fenster wird sichtbar, in dem Sie durch Anklicken der vorhandenen Formate auf der linken Seite sich die Auswirkungen im rechten Vorschaubereich aussuchen können. Probieren Sie einmal alle Formate der Reihe nach aus.

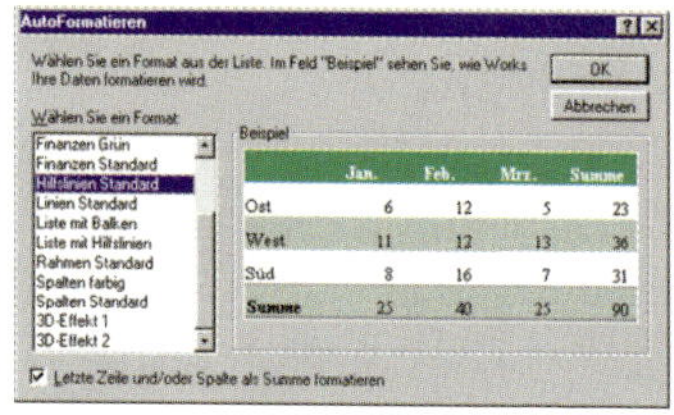


Sie werden eine ganze Reihe interessanter vorbereiteter Formate für die Gestaltung Ihrer Tabelle entdecken. Suchen Sie sich nun das passende Format aus.

**4** Achtung. Wenn die letzte Zeile nicht als Summenzeile für die darüber liegenden Werte dienen soll (und das ist ja meistens der Fall), schalten Sie unten diese Funktion mit einem Mausklick auf das Häkchen aus:

☑ Letzte Zeile und/oder Spalte als Summe formatieren

**5** Nach einem Mausklick auf OK sieht die Tabelle wie gewünscht aus: optisch ansprechend und vor allem übersichtlich.

| | Januar | Februar | M |
|---|---|---|---|
| Vereinsheim | 200,00 DM | 200,00 DM | 200, |
| Bälle | 100,00 DM | 0,00 DM | 0, |
| Porto | 400,00 DM | 120,00 DM | 270, |
| Trikots | 2.200,00 DM | 0,00 DM | 0, |
| Trainer | 400,00 DM | 400,00 DM | 400, |
| Übungsleiter | 200,00 DM | 200,00 DM | 200, |

# Druckbereiche festlegen

Nicht alles, was Sie am Bildschirm so auf eine Tabellenseite eintragen, soll hinterher wirklich ausgedruckt werden. Zum Beispiel könnten irgendwo zusätzliche Notizen oder auch Hilfstabellen vorhanden sein, die nicht zu Papier gebracht werden sollen. Kein Problem: Sie können Works genau vorgeben, was es ausdrucken soll:

**1** Markieren Sie den Bereich Ihrer Tabelle, den Sie ausdrucken wollen.

**2** Wählen Sie dann im Menü Format den Befehl Druckbereich festlegen.

**3** Works bestätigt das in einem Fenster. Klicken Sie einfach auf OK.

**4** Zur Überprüfung wählen Sie nun im Menü Datei den Befehl Drucken... . Schneller geht's, wenn Sie statt dessen die Tasten Strg und P drücken.

**5** Im nächsten Fenster klicken Sie auf Vorschau. Sofort zeigt Works am Bildschirm an, wie die gedruckte Seite aussehen würde. Es ist in der Tat nur der als Druckbereich bestimmte markierte Bereich zu sehen. Alles andere wird nicht berücksichtigt.

Es gibt noch eine Möglichkeit, Teile eines Tabellenblatts nicht zu drucken: Fügen Sie einfach zwischen dem Bereich, der ausgedruckt werden soll, und dem Rest einen Seitenumbruch ein. Wählen Sie dazu im Menü Einfügen den Befehl Seitenwechsel einfügen ein. Jetzt können Sie über Strg und P die Seite festlegen, die ausgedruckt werden soll.

# Festen Eingabebereich vorgeben

Wenn Sie schon vorher wissen, daß Sie einen zusammenhängenden Bereich aus Zellen verändern oder neu eingeben müssen, hilft folgender Trick, der vor allem das Eintippen ellenlanger Zahlenkolonnen erleichtern kann:

**1** Markieren Sie den Bereich mit der Maus.

**2** Geben Sie die erste Zahl ein. Sobald Sie die ↵-Taste drücken, geht's in der darunterliegenden Zelle weiter. Das machen Sie so oft, bis Sie die untere Zelle des markierten Bereichs erreicht haben.

**3** Nachdem Sie dort die Zahl eingegeben haben, müssen Sie aber nicht mit der Maus nach oben manövrieren. Drücken Sie einfach wieder die ↵-Taste. Dadurch gelangen Sie automatisch zur obersten markierten Zelle in der Spalte rechts neben der ersten.

| | |
|---|---|
| 100 | 333 |
| 200 | |
| 330 | |
| 333 | |

# Fixpunkte setzen: Überschriften bleiben sichtbar

Wenn Sie schon mal mit sehr großen Tabellen gearbeitet haben, kennen Sie das Problem: Blättern Sie weiter nach unten, werden auch Ihre Spaltenüberschriften unsichtbar.
Oder Sie verschieben die Tabelle am Bildschirm nach rechts, und die seitlichen Überschriften in Spalte A verschwinden ebenfalls. Bevor dann in eine Zelle etwas Neues eingetragen wird, muß vorsichtshalber die ganze Tabelle nach links oder nach oben geblättert werden, um auch wirklich die richtige Zeile oder Spalte zu erwischen.
Das ist lästig und auch überflüssig: Sie können Works anweisen, daß diese Überschriften immer am Bildschirm zu sehen sind. Wie solche „Fixpunkte" zu setzen sind, zeigen folgende Schritte:

**1** Klicken Sie zuerst auf die erste Zelle Ihrer Tabelle, die zum Eintragen von Daten dient. Im Bild ist dies die Zelle B3:

| | A | B | C |
|---|---|---|---|
| 1 | Ausgaben | | |
| 2 | | 1995 | 1996 |
| 3 | Personalkosten Trainer | 500 | 600 |
| 4 | Übungsleiter | 510 | 610 |
| 5 | Platzwart | 520 | 620 |
| 6 | Schiedsrichter | 530 | 630 |

**2** Im Menü Format klicken Sie auf den Befehl Titel fixieren.
Das war's schon: Works setzt nun zwischen dem eigentlichen Eingabebereich und den oberen und seitlichen Überschriften eine schwarze Linie als Abtrennung:

| | A | B | C | D |
|---|---|---|---|---|
| 1 | Ausgaben | | | |
| 2 | | 1995 | 1996 | 1997 |
| 3 | Personalkosten Trainer | 500 | 600 | 700 |
| 4 | Übungsleiter | 510 | 610 | 710 |
| 5 | Platzwart | 520 | 620 | 720 |
| 6 | Schiedsrichter | 530 | 630 | 730 |
| 7 | Beiträge Verband | 540 | 640 | 740 |
| 8 | Trikots | 550 | 650 | 750 |

**3** Wenn Sie jetzt die Tabelle nach unten blättern (zum Beispiel mit Hilfe der Bildlaufleiste am rechten Bildrand), bleiben die Jahreszahlen als Überschrift immer sichtbar. Auch die in Spalte A eingetragenen Ausgabenkategorien sind weiterhin zu erkennen, wenn Sie die Tabelle nach rechts blättern. Für Eingaben oder Korrekturen ist das eine enorme Hilfe.

**4** Um alles wieder rückgängig zu machen, wiederholen Sie einfach Schritt 2. An dem Häkchen bei

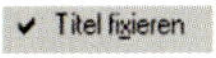


erkennen Sie, daß die Funktion eingeschaltet ist. Ein erneuter Mausklick darauf läßt das Häkchen verschwinden – ebenso natürlich auch die beiden fixierten Überschriften.

# Hilfe auf eigene Rechnung

Es ist schon sehr viel, aber längst nicht alles zum Thema Tabellenkalkulation gesagt. So bieten zum Beispiel die eingebauten Funktionen, von denen Sie in den beiden letzten Abschnitten einige interessante Beispiele kennengelernt haben, eine wahre Fundgrube an Möglichkeiten.

Doch zu mehr reicht hier leider nicht der Platz. Jetzt liegt es an Ihnen, die Tabellenkalkulation genauer kennenzulernen – sozusagen auf eigene Rechnung.

Ein letzter Tip noch: Für jede Funktion gibt es eine sehr gute Hilfestellung in der Online-Hilfe. Ist die Hilfe sichtbar, genügt es, den Funktionsnamen nach dem Gleichheitszeichen in einer beliebigen Zelle einzugeben. Sofort zeigt Works Hinweise darauf, wie die Funktion aufgebaut ist und welche Eingaben Sie machen müssen. Außerdem wird ein Beispiel für den praktischen Einsatz gezeigt. Es lohnt sich also allemal, auch ein wenig in der Online-Hilfe herumzustöbern, um Works und seine Möglichkeiten besser kennenzulernen.

Haben Sie bisher den Einsatz von Diagrammen vermißt? Obwohl die Umsetzung von Zahlen in aussagekräftige Bilder natürlich zur Tabellenkalkulation gehört, finden Sie dieses Thema in einem eigenen Kapitel: gleich auf der nächsten Seite.

# 7 Diagramme: Ein Bild sagt mehr als 1000 Zahlen

Eine Tabellenkalkulation ist ganz nützlich, um zusammengehörende Zahlen festzuhalten. Etwa in Form einer Tabelle für Ihre monatlichen Ausgaben. Allerdings sind Zahlen so nüchtern, daß sie zwar wahrgenommen, aber oft keine Aufmerksamkeit erregen. Sobald sie aber als Bild dargestellt werden, fallen sie sofort ins Auge. Das ist ja auch der Grund dafür, warum zum Beispiel im Fernsehen viel mit grafischen Übersichten gearbeitet wird. Denken Sie nur an die Ergebnisse von Wahlen, bei denen die Sitzverteilung immer in Form von Bildern vermittelt wird.
So etwas können Sie innerhalb von Works natürlich auch nutzen:

**1** In einer Tabelle haben Sie schon wie im Beispiel (siehe folgendes Bild) einige Ausgaben nach Ausgabenart und Monat erfaßt:

TSV Musterstadt
Ausgaben 1997

| | Januar | Februar | März | April | Mai | Juni |
|---|---|---|---|---|---|---|
| Vereinsheim | 200,00 DM | 200,00 DM | 200,00 DM | 200,00 DM | 200,00 DM | 200,00 DM |
| Bälle | 100,00 DM | 0,00 DM | 0,00 DM | 200,00 DM | 100,00 DM | 0,00 DM |
| Porto | 400,00 DM | 120,00 DM | 270,00 DM | 320,00 DM | 250,00 DM | 680,00 DM |
| Trikots | 2.200,00 DM | 0,00 DM | 0,00 DM | 0,00 DM | 700,00 DM | 0,00 DM |
| Trainer | 400,00 DM | 400,00 DM | 400,00 DM | 400,00 DM | 400,00 DM | 400,00 DM |
| Übungsleiter | 200,00 DM | 200,00 DM | 200,00 DM | 200,00 DM | 200,00 DM | 200,00 DM |

**2** Markieren Sie nun alle Einträge inklusive der Überschriften.

**3** Klicken Sie in der Symbolleiste auf .

**4** Im Fenster, das nun sichtbar wird, sehen Sie eine Übersicht über die Diagrammtypen, die Works Ihnen zur Verfügung stellt:

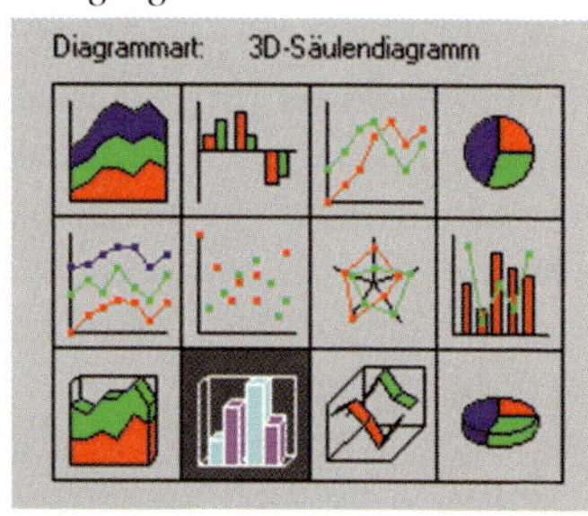


Rechts davon sehen Sie in einer Art verkleinerten Vorschau, wie das Diagramm mit Ihren markierten Daten aussehen würde:

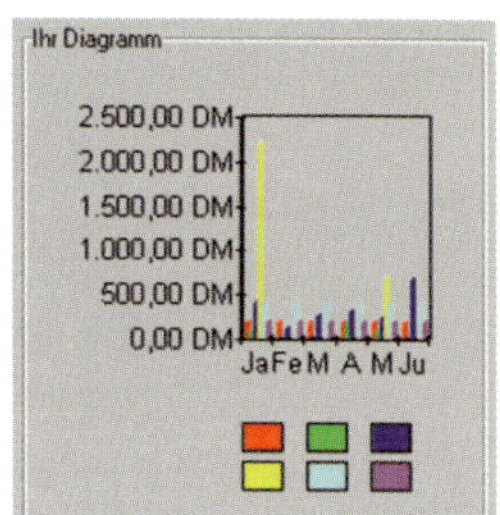

Wählen Sie nun zum Beispiel das 3D-Säulendiagramm mit einem Klick auf

aus, und schließen Sie das Fenster mit

.

Danach zeigt Works in einem neuen Fenster das vollständige Diagramm an, in dem Sie sofort erkennen können, wann welche Ausgabe am höchsten war: Im Januar war es hier eindeutig der Trikot-Kauf – das fällt nun wirklich sofort ins Auge. Dabei zeigt sich der Vorteil von Diagrammen sehr deutlich: In der Tabelle selbst fällt der „Ausreißer“ gar nicht so schnell auf.

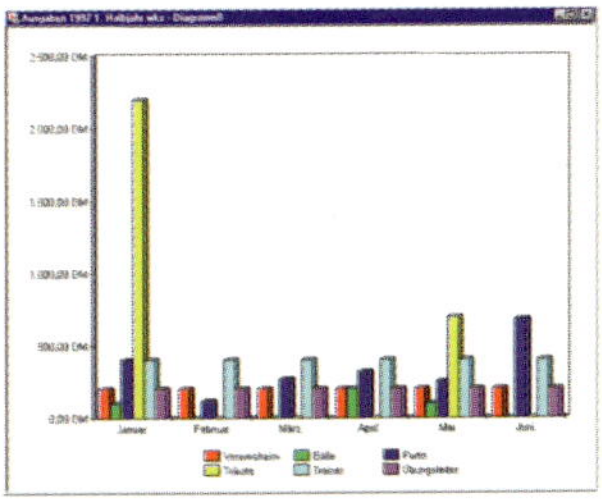

Speziell im Umgang mit Diagrammen ergeben sich mitunter sehr merkwürdige Ergebnisse, die vor allem ein unerfahrener Anwender nicht so ohne weiteres korrigieren kann. Da fehlt mal eine Beschriftung, oder die Beschriftung selbst ist falsch gewählt. In diesem Kapitel sind daher einige Tips zum Umgang mit Diagrammen zusammengestellt.

# Vom Diagramm zur Ausgangstabelle und zurück

Wenn Sie das Diagramm-Fenster auf dem Bildschirm sehen, gibt es einen Weg, mit dem Sie blitzschnell wieder zur Tabelle wechseln können:

1 Klicken Sie in der Symbolleiste auf

.

2 Damit wird das Fenster mit der Tabelle sichtbar. Obwohl hier automatisch die erste Zahlenreihe der Tabelle markiert wird, spielt das normalerweise keine Rolle: Es ist auf jeden Fall der schnellste Weg zurück.

3 Und jetzt wieder zurück zum Diagramm? Ein ähnliches Symbol gibt es dafür zwar nicht in der Symbolleiste. So geht's aber genauso schnell: Drücken Sie gleichzeitig die Tasten Strg und F6. Damit kommen Sie wieder zum Dia-

gramm zurück. Wenn Sie mehrere Diagramme erstellt haben, drücken Sie solange Strg und F6, bis die gewünschte Darstellung zu sehen ist.

Achtung: Wenn Sie die Tabelle laden, sind zwar die Diagramme dazu vorhanden. Die Tastenkombination Strg und F6 hat dann aber noch keine Wirkung. Erst wenn Sie mindestens einmal ein Diagramm-Fenster angezeigt haben (über Menü Ansicht und dann den Befehl Diagramme...), wird diese Tastenkombination aktiv. Also nicht wundern, wenn's anfangs nicht klappt!

# Diagramm-Titel einfügen

Im ersten Beispiel wurde noch darauf verzichtet, dem neuen Diagramm einen Titel zu geben. Zwar hätte es im Auswahlfenster für den Diagrammtyp dafür schon die Möglichkeit gegeben, doch es stand nur eine einzelne Eingabezeile zur Verfügung. Mit folgender Vorgehensweise können Sie den Titel weitaus besser festlegen:

**1** Klicken Sie im Menü Bearbeiten auf den Befehl Titel... .

**2** Daraufhin wird ein kleines Fenster sichtbar. Hier stehen Ihnen mehrere Eingabezeilen zur Verfügung. Die beiden ersten gelten für den Titel. Sie können nun in die erste Zeile eine große Überschrift, in die zweite Zeile einen Untertitel eintippen:

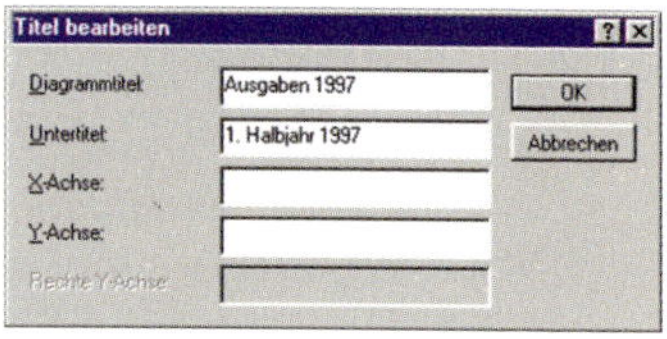


**3** Nach Mausklick auf OK wird das Ergebnis sofort im Diagramm-Fenster sichtbar.

**4** Gefallen Ihnen Schriftart und Schriftgröße nicht? Kein Problem: Klicken Sie mit der rechten Maustaste auf den Titel, der dadurch einen Rahmen erhält. Gleichzeitig wird ein Auswahlmenü sichtbar. Klicken Sie hier auf Schriftart und Schriftschnitt... . Nun können Sie im Fenster, das jetzt sichtbar wird, die neue Schriftart und -größe festlegen. Wie wär's so:

Denken Sie aber daran, daß viele unterschiedliche Stile auch stören können.

# Kreisdiagramme mit Beschriftungen

Die Auswahl des richtigen Diagrammtyps ist enorm wichtig. Sie sollten sich schon bei der Auswahl überlegen, welche Informationen dargestellt werden sollen. Bei der Beispieltabelle mit den Ausgaben im Eingang dieses Kapitels sollten ja sowohl die Ausgabenart als auch die Monate zu sehen sein sowie die Höhe der Ausgaben selbst als Grafik. Sie haben also drei Bezugspunkte. Das läßt sich in einem Säulendiagramm sehr gut umsetzen (und deshalb wurde dieses ja auch verwendet).

In einem Kreisdiagramm wird das schon schwieriger. Auch hier soll natürlich die Höhe der Ausgaben grafisch angezeigt werden. Doch worauf sollen sich die Angaben jetzt beziehen? Auf die Monate oder auf die Ausgabenarten? Sie ahnen schon die Probleme, die sich bestätigen, wenn Sie das Beispiel hernehmen und wie beschrieben statt eines Säulendiagramms ein Kreisdiagramm anzeigen lassen. Es ist völlig wertlos, alle Teilbereiche (auch Segmente genannt) sind identisch.

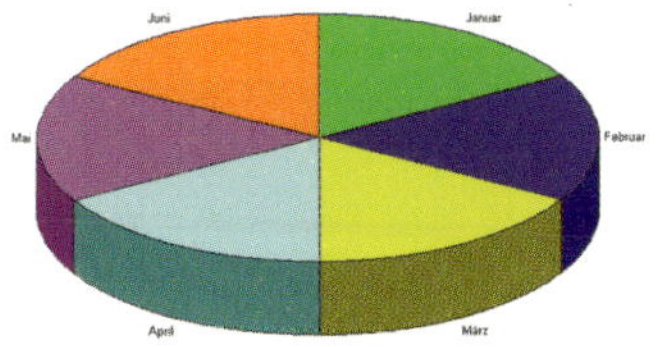


Kreisdiagramme eignen sich besser, wenn Sie nur zwei Beziehungen haben, also zum Beispiel eine einzelne Ausgabenart über mehrere Monate. Sinnvoll wäre zum Beispiel ein Kreisdiagramm zur Darstellung, wie sich die Ausgaben für das Porto im ersten Halbjahr entwickelt haben. Dazu gehen Sie so vor:

**1** In der Beispieltabelle aus dem Beginn dieses Kapitels markieren Sie nun lediglich die Zellen B10 bis G10:

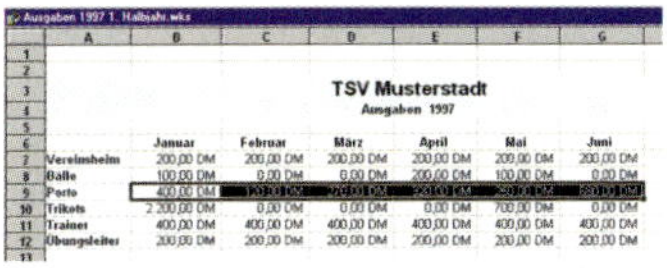

Ausgaben 1997 1. Halbjahr.wks

TSV Musterstadt
Ausgaben 1997

| | Januar | Februar | März | April | Mai | Juni |
|---|---|---|---|---|---|---|
| Vereinsheim | 200,00 DM | 200,00 DM | 200,00 DM | 200,00 DM | 200,00 DM | 200,00 DM |
| Bälle | 100,00 DM | 0,00 DM | 0,00 DM | 200,00 DM | 100,00 DM | 0,00 DM |
| Porto | 400,00 DM | [illegible] | [illegible] | [illegible] | [illegible] | [illegible] |
| Trikots | 2 200,00 DM | 0,00 DM | 0,00 DM | 0,00 DM | 700,00 DM | 0,00 DM |
| Trainer | 400,00 DM | 400,00 DM | 400,00 DM | 400,00 DM | 400,00 DM | 400,00 DM |
| Übungsleiter | 200,00 DM | 200,00 DM | 200,00 DM | 200,00 DM | 200,00 DM | 200,00 DM |

Immer wenn es um solche Bereiche geht wie hier B10 bis G10, können Sie in der üblichen Schreibweise einer Tabellenkalkulation auch schreiben: B10:G10. Der Doppelpunkt zeigt Works dann an, daß hier die zuerst genannte Zelle, die letztgenannte Zelle sowie alle dazwischen liegenden Zellen gemeint sind.

**2** Klicken Sie in der Symbolleiste auf .

**3** Im Fenster mit der Übersicht über die Diagrammtypen doppelklicken

Sie nun auf 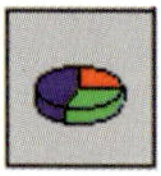.

Das ist schneller, als einmal drauf zu klicken und dann das Fenster mit [OK] zu schließen.

**4** Was Works jetzt als Diagramm zeigt, ist von der Aussagekraft her noch wenig überzeugend. Jegliche Beschriftung fehlt:

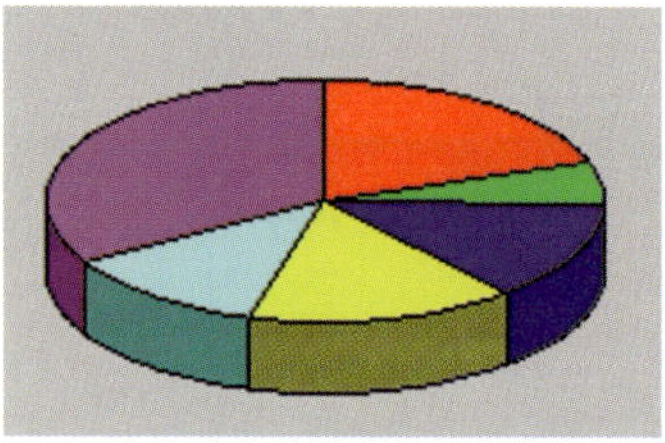

Das läßt sich aber mit einem Trick ändern. Wechseln Sie mit gleichzeitigem Drücken der Tasten [Strg] und [F6] zum Tabellenblatt.

**5** Als Beschriftungen kommen hier nur die Monate in Frage. Markieren Sie mit der Maus also die Überschriften in den Zellen B6 bis G6.

**6** Klicken Sie in der Symbolleiste dann auf . Damit wird der Inhalt dieser Zellen in die Zwischenablage kopiert.

> **! Selbsterklärende Symbole**
>
> Wenn Sie den Mauszeiger auf ein Symbol in der Symbolleiste setzen und einen kleinen Moment warten, wird eine kurze Beschreibung der Funktion des Symbols sichtbar.

**7** Wechseln Sie nun mit [Strg] und [F6] wieder zum Diagramm-Fenster zurück. Im Menü [Bearbeiten] klicken Sie auf den Befehl [Datenbeschriftungen...].

**8** Ein Fenster wird sichtbar. Klicken Sie auf der linken Seite zunächst in den kleinen weißen Kreis vor [Zellinhalte]. Anschließend klicken Sie in die leere Eingabezeile bei

Zellbereich: [ ]

**9** Im selben Augenblick wird rechts davon die Schaltfläche [Einfügen] deutlich sichtbar und aktiv. Klicken Sie einmal darauf. In der Eingabezeile wird nun der Bereich angezeigt, den Sie zuvor in der Tabelle markiert haben:

Zellbereich: B6:G6

**10** Klicken Sie nun auf [OK], werden die Monatsnamen sofort bei den zugehörigen Kreissegmenten dargestellt.

Was jetzt noch bliebe, wäre die Eingabe eines Titels. Wie das geht, können Sie – falls noch nicht geschehen – im vorigen Abschnitt nachlesen.

# Rotierende Säulen

Auf die grundsätzliche Darstellung eines 3D-Säulendiagramms haben Sie fast keinen Einfluß. Doch es gibt eine wenig bekannte Möglichkeit, den Blickwinkel auf die Säulen etwas zu verändern:

**1** Halten Sie die Strg-Taste fest, und drücken Sie dann gleichzeitig eine der vier Pfeiltasten. Die gesamte Darstellung dreht sich dann in kleinen Schritten – bis schließlich sogar die dreidimensionale Darstellung verschwinden kann.

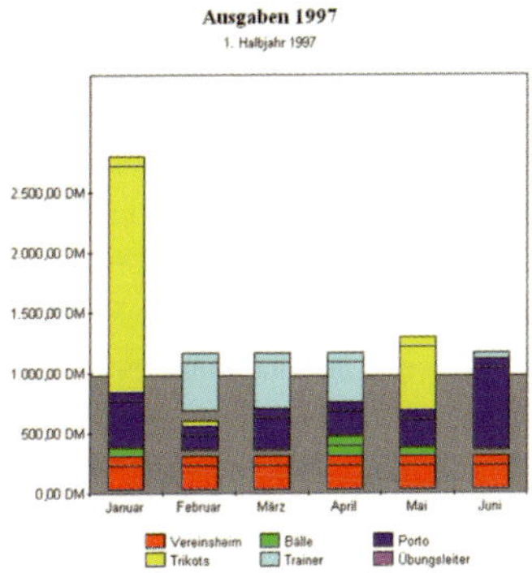


**2** Jede Veränderung können Sie wieder rückgängig machen, wenn Sie gleichzeitig Strg und Pos 1 drücken. Damit zeigt Works wieder das Ausgangsbild.

# Neue Farben und Muster

Gefallen Ihnen die Farben eines Teils des Diagramms nicht, die Works vorgibt? Dann ändern Sie sie doch:

**1** Doppelklicken Sie einfach auf den entsprechenden Bereich, zum Beispiel auf eine Säule.

**2** Works öffnet sofort ein Fenster, das in mehrere Bereiche aufgeteilt ist:

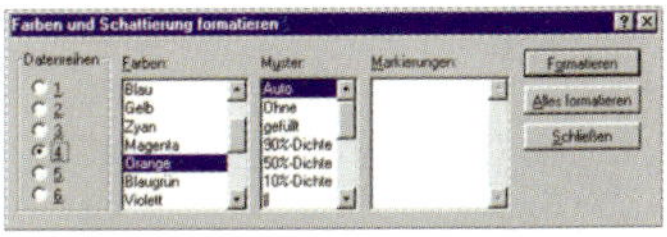


Hier können Sie dem markierten Bereich eine andere Farbe zuweisen. Klikken Sie dazu auf die gewünschte Farbe und dann auf Formatieren. Vorteil: Das Fenster bleibt geöffnet, während die markierte Säule die neue Farbe erhält.

**3** Gefällt Ihnen diese noch nicht, suchen Sie sich eine andere Farbe aus (oder ein anderes Muster) und wiederholen das Spielchen. Erst wenn Sie auf

[Schließen] klicken, werden die neuen Einstellungen übernommen.

# Kreissegmente ausrücken

So wie Sie die Farbe eines beliebigen Diagrammteils verändern können, so können Sie bei einem Kreisdiagramm auch jedes beliebige Kreissegment aus dem Kreis ein Stück ausrücken und so für besondere Aufmerksamkeit sorgen:

**1** Doppelklicken Sie auf das gewünschte Kreissegment.

**2** Das Fenster zum Verändern der Farben wird wieder sichtbar. Allerdings stellt es bei einem Kreissegment eine neue Funktion zur Verfügung:

[ ] Segment ausrücken

Klicken Sie auf das leere Quadrat. Danach wird dort ein Häkchen sichtbar.

**3** Sobald Sie jetzt auf [Formatieren] klicken, ist das markierte Segment plötzlich ein Stück aus dem Kreis heraus gewandert – es sieht aus wie ein Stück Torte, weshalb Kreisdiagramme oft auch als Tortendiagramme bezeichnet werden.

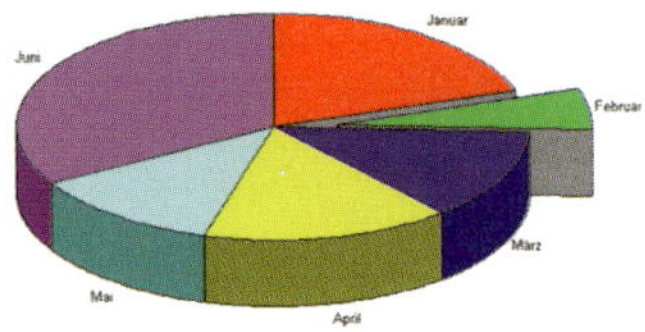


**4** Mit Mausklick auf [Schließen] beenden Sie das Fenster.

# Alles ausprobieren

Speziell die Arbeit mit Diagrammen hätte es verdient, noch ein wenig ausführlicher behandelt zu werden. Aber beim eigenen Ausprobieren vor allem der zahlreichen Diagrammtypen, am besten anhand einer Beispieltabelle, werden Sie selbst die meisten Erfahrungen gewinnen.

Sie werden schnell feststellen, daß die Auswahl der richtigen Diagramme auch enorm wichtig ist für eine optimale Darstellung. Nicht jedes Diagramm eignet sich dazu, einen bestimmten Sachverhalt besonders herauszustellen – was aber auch heißt, daß Sie sogar mit Diagrammen „manipulieren" können. Etwa durch einen anderen Darstellungsbereich, um Unterschiede zu betonen oder zu verschleiern.

# 8 Datenaustausch: So klappt's auch mit dem Nachbarn

Works besteht eigentlich aus mehreren Programmen gleichzeitig. Früher wurde so etwas daher auch „integriertes Programm" genannt.

Erster Vorteil: Alle Programme haben eine fast identische Oberfläche und eine nahezu identische Menüstruktur. Das bedeutet für Sie eine geringere Einarbeitungszeit. Denn wenn Sie eine der integrierten Anwendungen bedienen können, finden Sie sich auch in allen anderen Programmen zurecht.

Zweiter Vorteil: Daten, die in einem Programm erfaßt wurden, lassen sich recht einfach auch in einer „verwandten" Anwendung verwenden. Beispielsweise die Adressen der Datenbank, die für einen Brief in der Textverarbeitung zum Einsatz kommen. Das spart wieder Zeit und Mühe. Warum eine Adresse mehrfach eintippen, wenn sie Works ohnehin schon bekannt ist.

Um die Möglichkeiten dieses Datenaustausches geht es daher in diesem gesonderten Kapitel. Denn es gibt gleich mehrere Möglichkeiten, die Daten einer Anwendung in einer anderen zu verwenden.

## Datenaustausch per Zwischenablage

Wenn Sie etwas mit Windows vertraut sind, kennen Sie vielleicht bereits die Zwischenablage. Das ist ein Speicher, in den Sie kurzfristig etwas hinein kopieren und bei Bedarf wieder herausholen können.

Allerdings hat diese Vorgehensweise einen Haken: Auch wenn dieser Zwischenspeicher an sich recht groß ist, paßt immer nur ein einziger Ausschnitt auf einmal hinein. Wird etwas neues in den Zwischenspeicher kopiert, muß das erste weichen, selbst wenn theoretisch noch Platz wäre.

Dennoch eignet sich die Zwischenablage sehr gut, um zum Beispiel Teile einer Tabelle, die Sie in der Tabellenkalkulation erstellt haben, in einen Brief zu übernehmen. Das Beispiel zeigt, wie's geht:

**1** Markieren Sie in der Tabellenkalkulation den gewünschten Tabellenbereich.

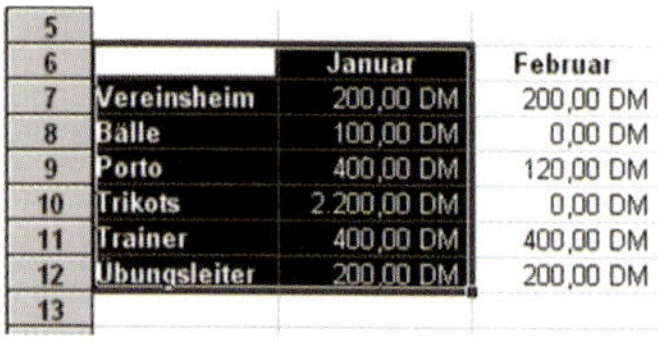


**2** Drücken Sie gleichzeitig die Tasten Strg und C. Damit wird der markierte Bereich in die Zwischenablage kopiert.

**3** Wechseln Sie nun entweder zum schon geöffneten Text-Dokument (das geht am schnellsten mit Strg und F6), oder starten Sie die Textverarbeitung und öffnen das Dokument, in das die Tabelle eingefügt werden soll. Plazieren Sie die Einfügemarke (zum Beispiel mit einem Mausklick) an die Stelle, wo die Tabelle hin soll.

**4** Im Menü Bearbeiten wählen Sie den Befehl Inhalte einfügen... . Works zeigt daraufhin ein Fenster mit mehreren Möglichkeiten, wie die Tabelle eingefügt werden soll. Wie viele Möglichkeiten es gibt, hängt davon ab, welches Works-Programm als „Lieferant" dient. Achtung: Es kann neben Works auch eine andere Anwendung als Lieferant dienen.

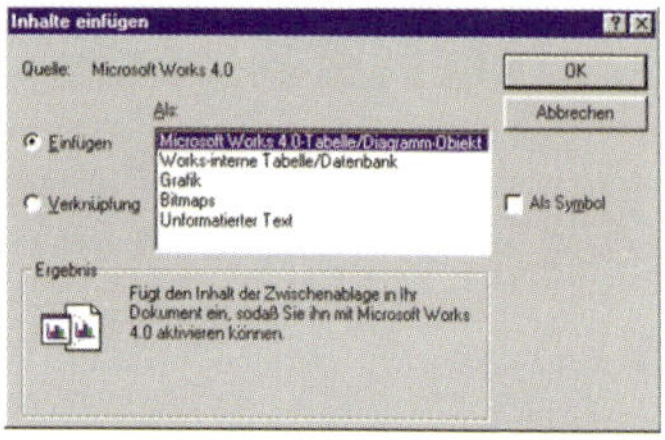


**5** Meist ist die erste Möglichkeit (Standardeinstellung) auch die beste. Klicken Sie daher sofort auf

OK.

Der Tabellenausschnitt wird nun als Objekt in den Text eingefügt.
Vielleicht blättern Sie einmal zum Kapitel 4 zurück: Dort haben Sie einiges über das Einfügen von Clipart-Bildern in einen Text erfahren. Hier liegt dasselbe Prinzip vor, zum Beispiel bei der Positionierung des Tabellenobjekts.

**6** Wenn Sie allerdings nun auf dieses Objekt doppelklicken, wird die Tabellenkalkulation geöffnet, die allerdings nur den dick umrahmten Tabellenausschnitt zeigt. Hier können Sie nun den Tabellenausschnitt nach Belieben bearbeiten.

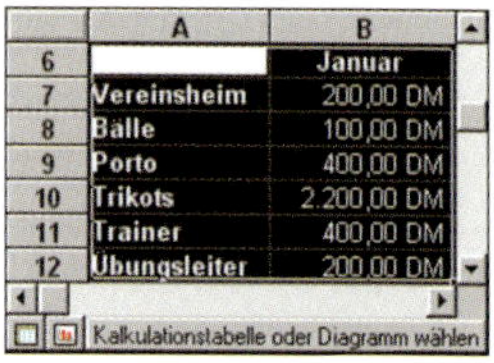

Daß Sie sich dann nicht mehr in der Textverarbeitung befinden, erkennen Sie leicht an den Menüs: Diese enthalten keine Befehle mehr für die Textverarbeitung, sondern die der Tabellenkalkulation. Lassen Sie sich davon also nicht verwirren, auch wenn ein Teil des Dokuments noch zu sehen ist.

7 Zurück zur Textverarbeitung kommen Sie, indem Sie einfach auf eine beliebige Stelle der Seite klicken. Das Objekt – genauer die Tabellenkalkulation – wird damit sofort geschlossen. Genauso einfach können Sie natürlich Diagramme in den Text einfügen und so zum Beispiel professionell gestaltete Seiten mit Tabellen und Diagrammen für eine Präsentation vorbereiten.

**! Austausch-Format**

Mit „Microsoft Works-4-0-Tabelle/Diagramm-Objekt" wird immer ein Objekt in ein Dokument eingefügt. Bei „Works-interne Tabelle/Datenbank" wird der Inhalt der Zwischenablage als reiner Text eingefügt. Als Abstände zwischen den Informationen (Spalten einer Tabelle) dienen dann Tabulator-Stops. Bei „Grafik" gelangt zum Beispiel ein Diagramm in einem speziellen Grafikformat (WMF, Windows Meta File) in den Text. Ein anderes Grafikformat, nämlich Bitmap (BMP), verwendet Works bei „Bitmaps". Völlig unformatiert gelangen die Daten über „Unformatierter Text" aus der Zwischenablage ins Dokument. Das heißt, daß Works zum Beispiel nicht mehr die Spalten einer Tabelle mit Tabulatoren trennt.

# Objekte aus allen Bereichen

Eine zweite Möglichkeit für den Datenaustausch ist das Einfügen von Objekten. Das können Bilder, Texte aus anderen Dokumenten, Klänge oder sogar Filme sein. Beispiel ist das Einfügen eines Clipart-Bildes, das Sie im Kapitel 4 nachlesen können.

Hier ist aber im Unterschied zum vorherigen Abschnitt noch eines interessant: Sie können solche Objekte im Text dauerhaft so mit der Lieferantenanwendung verknüpfen, daß Änderungen, die Sie etwa in einer Tabelle vornehmen, auch beim nächsten Öffnen des Textdokuments sichtbar sind. Damit lassen sich Dokumente nahezu automatisch auf dem aktuellsten Stand halten. Dazu genügt folgende Vorgehensweise:

1 Wiederholen Sie die Schritte 1 bis 4 aus dem vorigen Abschnitt, bis Sie wieder das folgende Bild sehen:

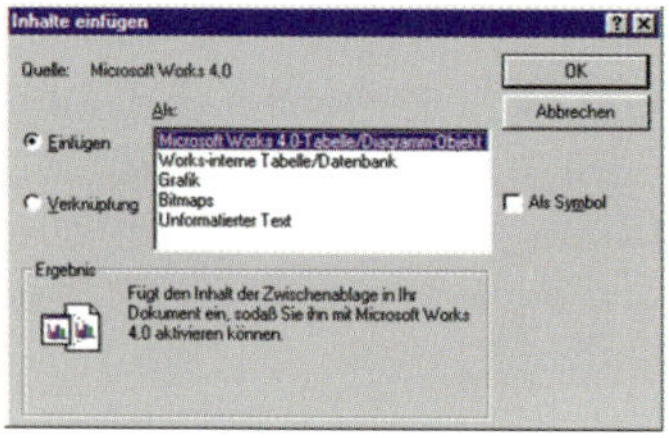


**2** Auf der linken Seite klicken Sie auf den leeren weißen Kreis vor

Verknüpfung

Dieser wird daraufhin mit einem schwarzen Punkt ausgefüllt.

**3** Klicken Sie auf OK

Das war's schon. Jetzt sieht der Tabellenausschnitt im Text zwar genauso aus wie im vorigen Abschnitt. Doch wenn Sie jetzt irgendwann einmal in der Tabellenkalkulation die Januarausgaben fürs Vereinsheim korrigieren, wird auch das damit verknüpfte Objekt im Textdokument den neuen Wert zeigen.

**! Vorsicht Falle**

Die Informationen über eine solche Verknüpfung werden unsichtbar im Text gespeichert. Wenn Sie die Ausgangstabelle (den „Lieferanten") löschen oder auch nur von einem Ordner in einen anderen verschieben (was vor allem im Netzwerk sehr leicht passiert), kann Works natürlich diese Verknüpfung nicht mehr aufrechterhalten. Das bedeutet, daß jetzt Änderungen der Tabelle keine Auswirkungen mehr auf das Objekt im Textdokument haben.

# Briefadresse aus der Adreßverwaltung

Benötigen Sie für einen Brief eine Adresse? Kein Problem mit dem Adreßbuch: Ziehen Sie einfach die benötigten Daten aus dem Adreßbuch in den Brief:

**1** Wenn Sie mehrere Adreß-Datenbanken führen – etwa eine für den Verein, eine andere für Ihren privaten Freundeskreis –, müssen Sie zunächst die passende Datenbank öffnen und dann als Standardadreßbuch festlegen. Klicken Sie dazu im Menü Extras auf den Befehl Einstellungen...

**2** Klicken Sie dann auf die Registerkarte

Adreßbuch

Works zeigt nun alle vorhandenen Datenbanken an. Klicken Sie auf diejenige, die als Adreßbuch eingesetzt werden soll. Mit OK schließen Sie dann das Fenster.

**3** Schließen Sie die Datenbank noch nicht, sondern starten Sie jetzt die Textverarbeitung und öffnen Ihre Briefvorlage.
Ist die richtige Datenbank schon Ihr Standard-Adreßbuch, geht's übrigens schneller, wenn Sie im Menü Extras den Befehl Adreßbuch... anklicken.

**4** Wählen Sie nun im Menü Fenster den Befehl Nebeneinander . Sofort sind Adreßbuch und Brief nebeneinander sichtbar.

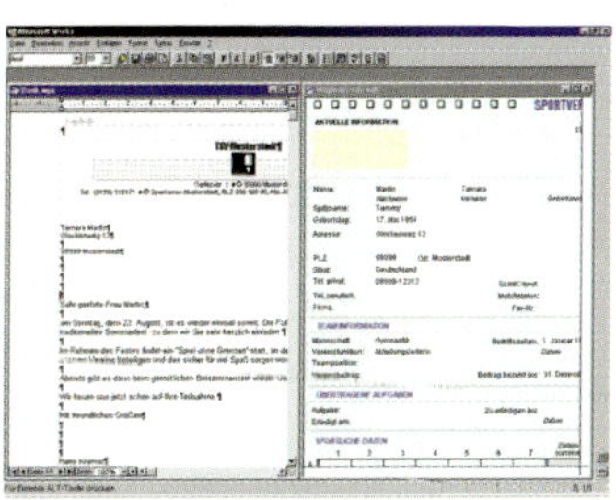

**5** Suchen Sie im Adreßbuch nach der gewünschten Adresse. Anschließend können Sie jeden beliebigen Eintrag, etwa den Namen, mit gedrückter linker Maustaste an die passende Stelle in Ihrem Brief hinüberziehen. Sobald Sie die Maustaste loslassen, ist der Name im Brief zu sehen. Achtung: Eventuell übernimmt Works dabei noch einen Tabulator-Stop, den Sie aber löschen sollten.

**6** Wiederholen Sie dies mit allen benötigten Bestandteilen für die Adresse, wie Straße, Ort oder auch Anrede. So füllen Sie die Empfängeradresse ganz komfortabel mit der Maus, ohne eine einzige Zeile schreiben zu müssen.

## Serienbriefe schnell erstellt

Eine der sinnvollsten Anwendungen für den Datenaustausch ist sicher der, daß Adressen, die Sie einmal in der Datenbank – genauer: im Adreßbuch – erfaßt haben, direkt in einen Text übernommen werden. Warum doppelte Arbeit machen? Noch besser: Sie können zum Beispiel alle Mitglieder des TSV Musterstadt mit einem Brief zur nächsten Mitgliederversammlung oder zum bevorstehenden Sommerfest einladen.

Schreiben Sie nur einmal den Brief – die Adressen lassen Sie dann von Works Brief für Brief einfügen:

**1** Öffnen Sie Ihre Briefvorlage in der Textverarbeitung, und setzen Sie die Einfügemarke mit einem Mausklick an die Stelle, an der der erste Teil der Empfängeradresse eingefügt werden soll.

**2** Wählen Sie dann im Menü Einfügen den Befehl Datenbankfeld... .

**3** Works zeigt nun ein kleines Fenster, in dem normalerweise noch keine Datenbank zu sehen ist. Diese müssen Sie jetzt noch festlegen, indem Sie im Fenster auf

Eine andere Datenbank verwenden

klicken:

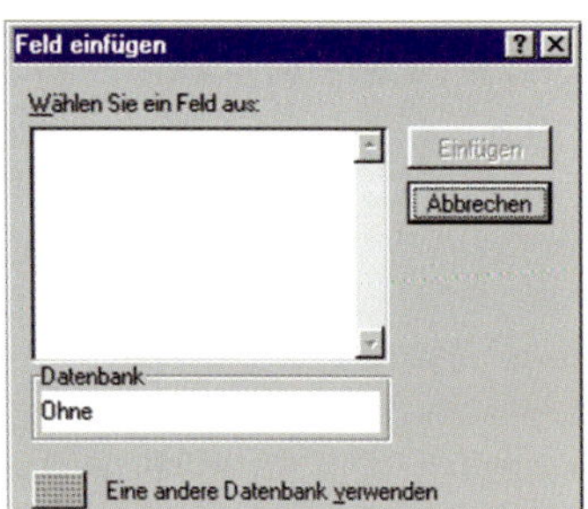


**4** Works zeigt Ihnen nun die vorhandenen Datenbanken an. Klikken Sie die passende an und machen mit einem Mausklick auf OK weiter.

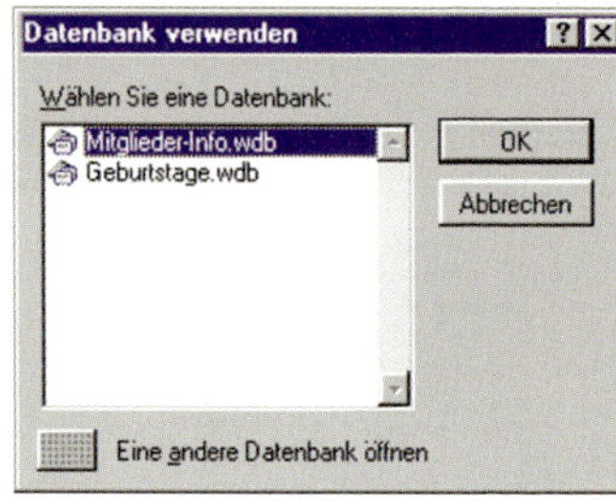


**5** Alle verfügbaren Felder der Datenbank sind nun in einem Fenster sichtbar. Mit Hilfe der Bildlaufleiste können Sie durch die Liste blättern. Markieren Sie per Mausklick das erste Feld, und klicken Sie dann auf Einfügen .

**6** Jetzt ein kleiner Trick: Wiederholen Sie dies für alle Felder, die Sie für die Anschrift benötigen. Achten Sie dabei nur auf die richtige Reihenfolge. Works fügt nämlich dabei jeweils alle Feldnamen, eingeschlossen in französischen Anführungszeichen, nacheinander in eine Zeile ein. Es ist nicht möglich, zwischendurch einmal zum Brief zu wechseln und dort eine Zeile tiefer zu gehen. Es sei denn, Sie schließen das Fenster, plazieren die Einfügemarke neu und wiederholen die Schritte ab 2 für die nächste Zeile – was recht umständlich ist.

**7** Haben Sie alle benötigten Felder eingefügt, schließen Sie das Fenster mit einem Mausklick auf [Schließen]. Alle Felder sind jetzt in einer Zeile zu sehen:

¶
«Vorname»·«Nachname»·«Adresse1»·«PLZ»·«Ort»¶
¶

**8** Im Brief können Sie nun die benötigten Zeilenumbrüche und Leerzeichen weitaus einfacher und schneller einfügen oder Teile zum Beispiel fett formatieren:

¶
«Vorname»·«Nachname»¶
«Adresse1»¶
¶
**«PLZ»·«Ort»**¶
¶

**9** Das war es im Grunde schon: Jetzt können Sie in der Seitenvorschau kontrollieren, ob alles auch beim Ausdrucken klappt. Am schnellsten geht's, wenn Sie in der Symbolleiste auf  klicken.

Jetzt sind auch nicht mehr die Statthalter, also die Feldnamen, zu sehen, sondern die wirklichen Adreßdaten. Blättern Sie von Brief zu Brief weiter, und kontrollieren Sie die Adressen noch vor dem Ausdruck auf Fehler – das kann so manche Papierverschwendung verhindern.

# Serienbrief-Adressen gezielt aussuchen

Jetzt haben Sie erfahren, wie Sie eine einzelne Adresse für einen Brief aus der mit Works erstellten Adreßdatenbank übernehmen können. Und wie Sie alle Adreßdaten auf einmal für einen Serienbrief einsetzen können. Was aber, wenn Sie gar nicht alle Mitglieder auf einmal, sondern nur einen Teil davon (etwa alle Trainer) zur nächsten Sitzung des Vereinsvorstandes einladen wollen? Auch das bedarf nur weniger Mausklicke:

**1** Wählen Sie im Menü Extras den Befehl Serienbriefe... .

**2** Ein Fenster wird sichtbar, das aus mehreren Registerkarten besteht. Klicken Sie auf

Datenbank .

**3** Markieren Sie nun, falls erforderlich, die Datenbank mit Ihren Adressen. Klicken Sie dann unten auf Datenbank anzeigen... .

**4** Die Datenbank, die Works Ihnen nun zeigt, wird als eine Liste in Tabellenform angezeigt. Ganz links sind vor jeder Zeile dieser Tabelle kleine Felder. Hier können Sie Zeile für Zeile per Mausklick diejenigen Adressen mit einem Häkchen versehen, die Sie für Ihren Serienbrief nutzen wollen. Zeilen (also Adressen) ohne Häkchen bleiben unberücksichtigt.

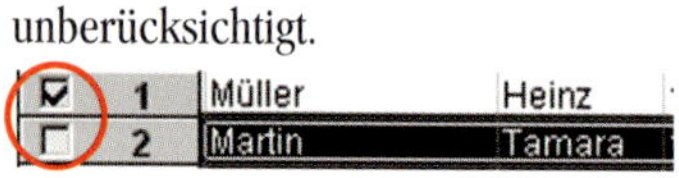


**5** Haben Sie alle gewünschten Zeilen so markiert, klicken Sie im Hinweisfenster, das Works unten ständig anzeigt, auf Zurück .

**6** Das war's schon. Kontrollieren Sie das Ergebnis wieder über die Seitenansicht mit einem Mausklick auf

.

Sie werden feststellen, daß jetzt wirklich nur noch die zuvor markierten (in der Fachsprache heißt das auch „selektierten“) Datensätze angezeigt – und später auch ausgedruckt – werden.
Die Vorgehensweise, die hier für Serienbriefe beschrieben wurde, gilt prinzipiell auch für das Beschriften von Briefumschlägen oder Etiketten. Probieren Sie beides einmal aus.

# Informationen aller Art

Natürlich haben Sie die möglichen Arten des Datenaustauschs vor allem am Beispiel der Zusammenarbeit der Works-Anwendungen kennengelernt. Das heißt aber nicht, daß nicht auch beliebige andere Anwendungen unter Windows 95 mit Works zusammenarbeiten können. Selbstverständlich können Sie auch Excel-Tabellen oder Excel-Diagramme in Works-Dokumente einbauen, Bilder aus MS Paint oder Texte aus Winword verwenden. Doch all diese Möglichkeiten werden Sie selbst am besten kennenlernen, wenn Sie die vielen Funktionen für den Datenaustausch in der Praxis in Ruhe ausprobieren.

# 9 Die Welt am Draht: DFÜ mit Works

Alle reden vom weltweiten Internet – und vergessen oft, daß es auch in der Nähe viel Gutes gibt: Statt zum Beispiel Software im (noch immer teuren) Internet zu suchen, lohnt sich meist eher ein Blick in Mailboxen, die es sowohl in allen größeren Städten als auch „auf dem Land" gibt. Dort können Sie nach Programmen stöbern, mit anderen Besuchern via Modem plaudern („chatten") und Informationen austauschen – alles meist zum Telefon-Ortstarif, also besonders günstig. Und das Beste an der Sache: Works liefert das notwendige Programm für den Zugang zu Mailboxen gleich mit.

Die Software zur Datenfernübertragung ist zwar nicht unbedingt so komfortabel wie dafür spezialisierte Programme, doch sie bietet einiges mehr, als auf den ersten Blick zu vermuten ist. Deshalb soll's hier auch gleich losgehen mit der ersten Verbindung. Vorausgesetzt, Sie haben ein Modem, und dieses ist unter Windows korrekt eingestellt. Andernfalls können Sie dieses Kapitel auslassen und es erst lesen,wenn Sie ein Modem gekauft haben.

## Elektronische Pin-Bretter nutzen

Die Verbindung zu einer Mailbox ist schnell hergestellt. Im Beispiel ist es die Mailbox eines Computer-Herstellers:

**1** Im Fenster Works-Start klicken Sie auf der Registerkarte

Works-Werkzeuge

auf

.

**2** Danach erscheint ein Fenster, in dem Sie die wichtigsten Angaben für den Aufbau einer Verbindung zu einer Mailbox machen müssen: die Telefonnummer. Dazu werden benötigt: internationale Vorwahl (da ist Deutschland schon voreingestellt, weil ja nur selten ausländische Mailboxen angewählt werden dürften), die Vorwahl und die Anschlußnummer. Geben Sie diese Angaben sowie einen Namen für die neue Verbindung ein.

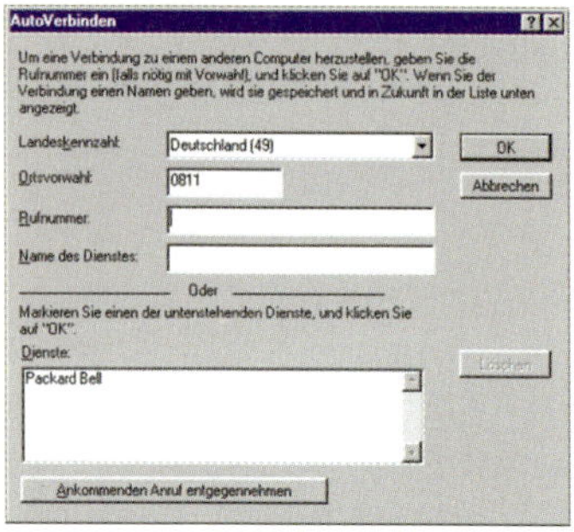


## ! Nebenstellen-Betrieb

Wenn Sie von einer Nebenstelle aus, etwa aus Ihrem Büro, eine Verbindung aufnehmen wollen, müssen Sie Ihr Modem entsprechend einstellen. Meist muß dann ja noch eine zusätzliche Null vorgewählt werden, um überhaupt eine Amtsleitung zu erhalten.

**3** Wenn Sie eine schon vorher eingetragene Verbindung aktivieren wollen (die steht dann im Fenster unten schon eingetragen), klicken Sie auf den Namen der Verbindung. Die Telefondaten werden dann automatisch übernommen.

**4** Nach einem Mausklick auf [OK] wird ein weiteres Fenster sichtbar. In ihm sind noch einmal zur Kontrolle die Telefonnummer und der Name des eingestellten Modems sichtbar. Normalerweise müssen Sie nichts mehr ändern – es sei denn, Sie wollen ein anderes Modem verwenden, oder Sie haben sich bei der Eingabe der Telefonnummer vertippt.

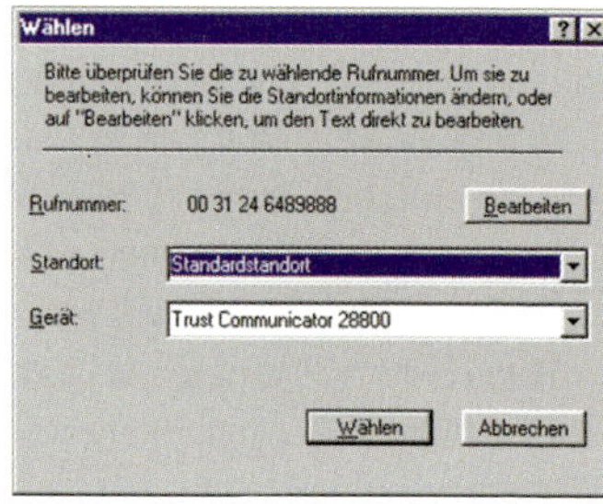


**5** Klicken Sie daher auf [Wählen]. Genau das macht Works danach:

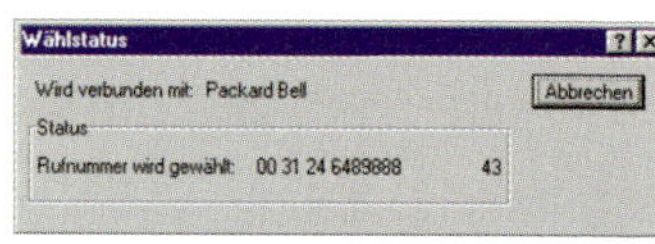


**6** Wenn alles klappt (gute Leitung, Freizeichen), kommt nach kurzer Zeit die Verbindung zustande – die Mailbox meldet sich:

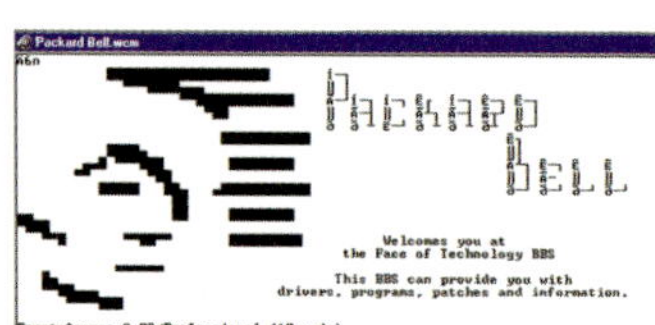


**7** Was jetzt kommt, ist zwar prinzipiell ähnlich, hängt aber von der

Mailbox ab. Normalerweise müssen Sie nun Ihren Namen und ein Paßwort eingeben, bevor Sie wirklich in der Mailbox herumstöbern können.

# Automatisch Verbindung aufnehmen

Immer wenn es um Datenfernübertragung geht, spielen Kosten eine Rolle. Jede Sekunde weniger zum Beispiel für Anwahl und Eingabe der Verbindungsdaten spart Geld. Deshalb – und um natürlich mehr Komfort zu bieten – enthält Works eine Art Makrorecorder, mit dem sich solche Aufgaben aufzeichnen und automatisch abspielen lassen. In der typischen Online-Sprache heißt so etwas übrigens „Skript“, was zu deutsch etwa „aufgeschrieben“ heißt. Darum geht es: Alle Befehle werden aufgeschrieben. So geht's:

**1** Nach dem Start der Datenfernübertragung zeigt Works das bekannte Fenster zum Eingeben der Telefonnummer. Schließen Sie es mit einem Mausklick auf Abbrechen.

**2** Im Menü Extras klicken Sie auf den Befehl Skript aufzeichnen... . Jetzt wird ein kleines Fenster sichtbar. Lassen Sie alle Einstellungen so, wie sie sind, und klicken Sie sofort auf OK.

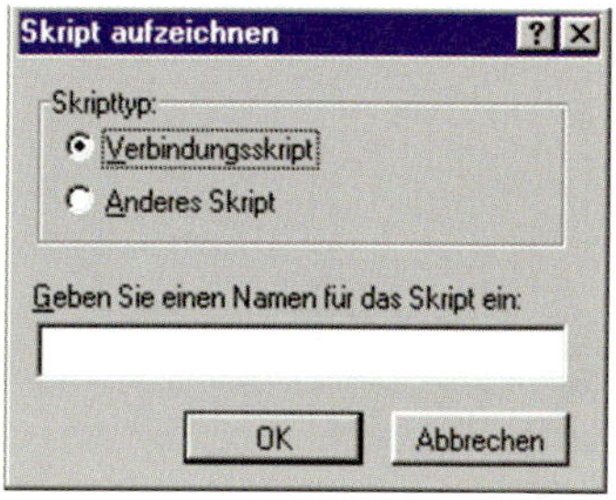


**3** Damit startet die Aufzeichnung. Im Menü Telefon wählen Sie den Befehl AutoVerbinden... . Dann geben Sie alle Daten wie im ersten Abschnitt beschrieben ein. Steht die Verbindung, und haben Sie alle Benutzerdaten wie Paßwort oder Namen eingegeben, stoppen Sie die Aufzeichnung, indem Sie im Menü Extras auf den Befehl Aufzeichnung beenden klicken.

**4** Jetzt können Sie entweder in der Mailbox schnuppern oder die Verbindung trennen. Ist letzteres erfolgt, müssen Sie noch etwas nacharbeiten. Schließlich hat das Kind, also die Aufzeichnung, noch keinen Namen. Wenn Sie im Menü Extras auf den Befehl Skript bearbeiten... klicken, sehen

Sie ein Fenster, in dem Works einen allgemeinen Namen, nämlich schlicht die Bezeichnung „Verbindung“ vergeben hat:

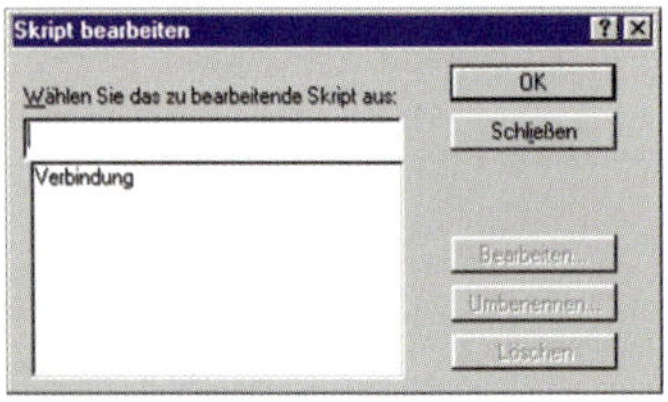


**5** Klicken Sie einmal darauf und dann auf Umbenennen... , um einen passenden Namen einzutippen:

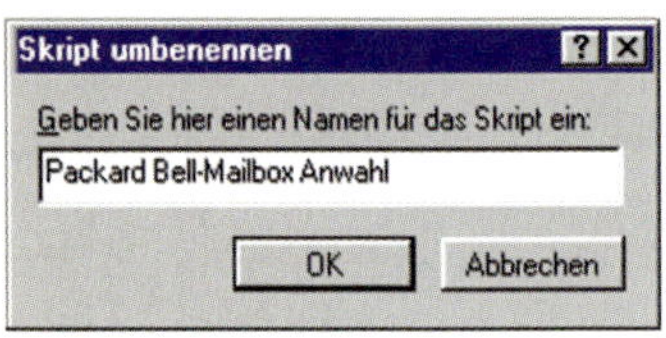


**6** Nach einem Mausklick auf OK ist das Skript fertig. Wenn die zugehörige Datei geöffnet ist, finden Sie im Menü Extras nun einen neuen Befehl:

Bei anderen Sitzungen steht er übrigens nicht zur Verfügung. Sie müssen also explizit die zugehörige Datei öffnen, um eventuell vorhandene Skripts auch zu sehen.

Wer also häufiger mal in den verschiedenen Mailboxen der näheren Umgebung herumstöbert, um nach neuen Treibern oder auch nach Shareware-Spielen zu suchen, für den sind solche „Aufzeichnungen“ ein hervorragendes Mittel, sich bei der Anwahl viel Arbeit zu ersparen.

**! Achtung, Sicherheitsrisiko!**

Wenn Ihr Skript auch die Eingabe des Paßwortes enthält, können Unbefugte sehr einfach daran herankommen. Denn das Paßwort wird im Skript in Klartext gespeichert:

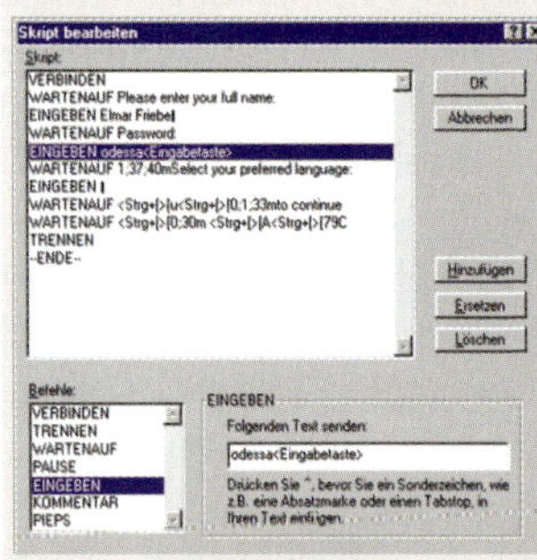


Wenn Sie sich einen Computer mit anderen Benutzern teilen, sollten Sie daher besser auf diese Erleichterung verzichten und das Paßwort nach der Einwahl bei der Mailbox immer „per Hand“ eintippen.

# Was ist eigentlich...?

Die typische Computer-Sprache ist für viele Anfänger recht verwirrend und strotzt nur so vor Fachbegriffen. Da dieses Buch aber eine verständliche Lektüre sein soll, wurde darauf geachtet, möglichst kein Fachchinesisch zu verwenden.
Allerdings haben sich einige Begriffe inzwischen so „eingebürgert“, daß es fast unumgänglich ist, sie einzusetzen. Daher finden Sie hier zum Nachschlagen die Erläuterungen zu typischen Fachbegriffen rund um Windows 95 und Works. Erwarten Sie jetzt bitte kein ausführliches Computer-Lexikon – so etwas gibt es längst. Wir haben versucht, möglichst einfache und verständliche Erläuterungen zu finden.

### Arbeitsblatt

Eine Works-Tabellenkalkulationsdatei besteht immer aus einem Arbeitsblatt, dem Tabellenblatt. Wie bei einem Schulheft stellen Tabellenblätter die „Seiten“ dar, auf denen Sie „schreiben“, also Daten eingeben oder Berechnungen ausführen können. Ein Works-Arbeitsblatt enthält maximal 16384 Zeilen und 256 Spalten. Das reicht aber wohl für Tabellen mehr als aus.

### Assistenten

Viele Programme wie Works enthalten kleine Hilfsprogramme, mit deren Unterstützung sich fast automatisch bestimmte Dokumente wie Briefpapier, Datenbanken wie Adreßbücher oder Kalkulationsformulare wie Rechnungen entwerfen lassen.

### Betriebssystem

Dies ist das Programm, das beim Start des Computers als erstes geladen wird und die Kontrolle über das gesamte System hat. Es kümmert sich insbesondere um alle Ein- und Ausgaben, nimmt die Befehle des Anwenders entgegen und führt sie aus. Zu den bekanntesten Betriebssystemen gehören MS-DOS und Windows 95 von Microsoft, OS/2 von IBM, System 7.5 für Apple Macintoshcomputer oder auch Unix.

### Bezug

Wenn Sie in der Tabellenkalkulation mit dem Inhalt einer Zelle rechnen wollen, können Sie das auch ohne den realen Inhalt erledigen. Sie müssen dazu lediglich den Bezug zu einer Zelle herstellen. Das ist in der Regel die Bezeichnung der Zelle, zum Beispiel A5.

### Bildlaufleiste

Wenn der Inhalt eines Fensters nicht mehr vollständig auf dem Bildschirm dargestellt werden kann, erscheinen am rechten und/oder unteren Rand des Fensters Bildlaufleisten. Diese enthalten außen kleine Pfeile. Dazwischen befindet sich ein Rollbalken.

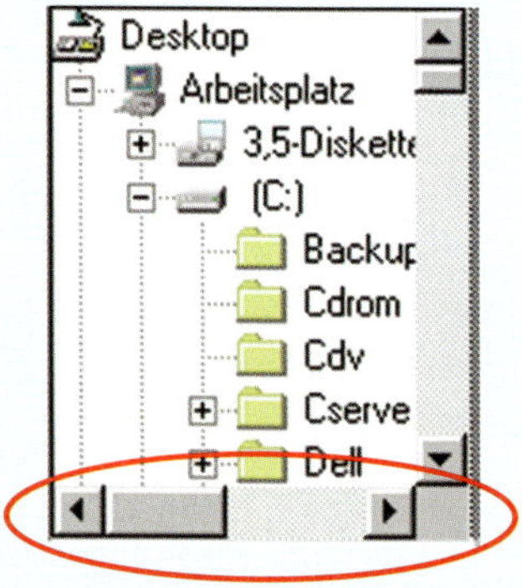


Mit der Maus können Sie den Fensterinhalt vertikal oder horizontal verschieben:

- Durch Anklicken der Pfeile in den Bildlaufleisten wird der Fensterinhalt zeilenweise in die entsprechende Richtung verschoben.
- Durch Ziehen des Balkens zwischen den Pfeilen mit gedrückter linker Maustaste können Sie den Fensterinhalt in größeren Sprüngen verschieben.
- Klicken Sie in der Bildlaufleiste in einen Bereich neben dem Rollbalken, wird der Fensterinhalt immer um den Bereich verschoben, der der Breite oder Höhe eines Fensters entspricht.

### Clipart-Bilder

Viele Programme wie Works enthalten bereits eine Reihe vorgefertigter Bilder, die sich zum Beispiel von einem Grafikprogramm bearbeiten oder auch in ein Works-Dokument einfügen lassen. Diese Bilder sind meist in einem speziellen Grafikformat (WMF, Windows Meta File) gespeichert, das nahezu alle Windows-Anwendungen problemlos lesen können.

### Desktop

Desktop, auch Arbeitsoberfläche, ist bei Windows 95 die Oberfläche, die nach dem Start zu sehen ist. Auf dem Desktop sind nach dem ersten Einrichten von Windows 95 nur einige Programmsymbole und eine Startleiste am unteren Rand zu sehen. Auf den Desktop können Sie wie auf einem Schreibtisch die Utensilien ablegen, die Sie bei der Arbeit häufiger benötigen. Hier sind es dann zum Beispiel Programmsymbole der Anwendungen, die Sie häufiger einsetzen und vom Desktop aus mit einem Doppelklick sofort starten können. Windows enthält bereits zahlreiche Hintergrundbilder, mit denen Sie das Aussehen des Desktops nach eigenen Wünschen gestalten können.

### Diagramm

Ein Diagramm ist eine grafische Darstellung von Tabellendaten. Diagramme machen Daten interessant, aussagekräftig, einfach lesbar und auswertbar. Sie unterstützen darüber hinaus die Analyse und den Vergleich von Daten. Wenn Sie ein auf einer Tabellenmarkierung basierendes Diagramm erstellen, verwendet Works die Werte in der Tabelle und stellt sie im Diagramm als Datenpunkte dar, und zwar in Form von Balken, Linien, Säulen oder anderen Symbolen.

### Doppelklick

Der Doppelklick mit der Maus besteht aus zwei Mausklicken mit der linken Maustaste, die sehr schnell hintereinander ausgeführt werden müssen. Auf dem Desktop von Windows 95 starten Sie zum Beispiel mit einem Doppelklick auf ein Programmsymbol die zugehörige Anwendung.

### Explorer

Der Explorer ist die „Schaltzentrale" von Windows 95. In diesem Programm können Sie unter anderem Dateien kopieren, löschen oder Anwendungsprogramme wie beispielsweise Word für Windows starten. Der Explorer zeigt Ihnen Laufwerke und deren Inhalt in grafischer Form an.

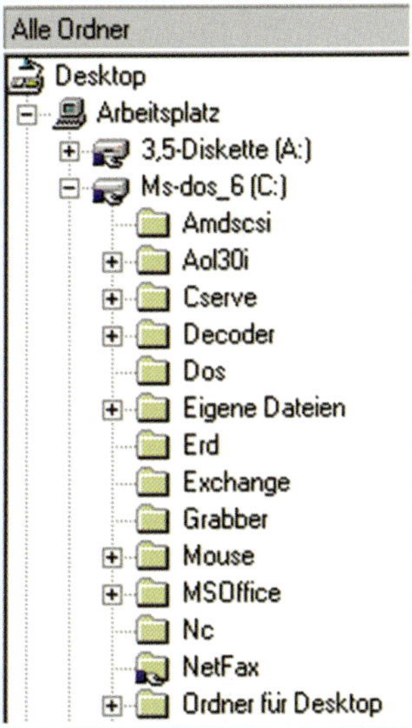


### Fenster

Bei Windows werden Programme und Dateien in Fenstern dargestellt. Fenster enthalten normalerweise immer eine Titelzeile, die den Namen des Programms oder des geöffneten Dokuments anzeigt. Bei vielen Programmen ist es sogar möglich, mehrere Fenster mit einem oder verschiedenen Texten gleichzeitig zu öffnen.

## Formel

Mit einer Formel können Sie mit den bereits vorhandenen Daten einer Tabelle mathematische Berechnungen wie Additionen oder Multiplikationen oder auch Vergleiche durchführen. Eine Formel beginnt immer mit einem Gleichheitszeichen. Für einige häufig eingesetzte Formeln wie zur Bildung einer Summe gibt es in Works auch Symbole wie 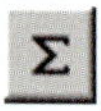, die per Mausklick eine Formel in eine Zelle einfügen. Die Werte, mit denen eine Formel arbeiten kann, können Zahlen, Bezüge auf Zellen oder auch Namen für Zellen sein. Beispiel: Die Formel „=SUMME(A1:A3)" addiert die Inhalte der Zellen A1, A2 und A3.

## Formular

Ein Formular ist bei Works eine speziell gestaltete Eingabemaske. Solche Formulare gibt es in der Datenbank und in der Tabellenkalkulation. In der Datenbank wird ein Formular dazu verwendet, einen einzelnen Datensatz mit allen Feldern möglichst übersichtlich anzuzeigen. Das erleichtert dann die Eingabe. In der Tabellenkalkulation gibt es Rechnungsformulare, in denen vorbereitete Formeln aus Eingaben in Teile des Formulars einen Wert berechnen, beispielsweise die Mehrwertsteuer.

## Installation

Bevor Anwendungen von der Festplatte aus gestartet werden können, müssen sie zuerst von Disketten oder CD-ROM installiert werden. In der Regel läuft dies automatisch mit einem speziellen Programm ab, das in der Regel *install.exe* oder *setup.exe* heißt. Dieses Programm sorgt dafür, daß alle benötigten Dateien auf Festplatte übertragen und zum Beispiel auch Ordner auf der Festplatte angelegt werden.

## Internet

Das Internet ist ein weltweites, aus Tausenden von Computern bestehendes Netzwerk. Diese tauschen Daten über Telefon- und Standleitungen aus. Ein Datendienst oder ein unabhängiger Anbieter (Provider) verbindet Ihren PC mittels Modem über das Telefonnetz mit dem Internet.

## Kontextmenü

Kunstwort aus den Begriffen „Kontext" (umgebender, inhaltlicher Sinnzusammenhang) und „Menü" (bei Personal-Computern eine Liste von Befehlen, mit denen weitere Funktionen gestartet werden können). Erscheint, wenn zum Beispiel eine Datei markiert und dann mit der rechten Maustaste geklickt wird. Es zeigt dann die Befehle, die am häufigsten für ein markiertes Element verwendet werden, beispielsweise „Öffnen" oder „Löschen".

### Kopieren

Beim Kopieren einer Textstelle wird der Originaltext markiert, mit der Tastenkombination Strg und C zwischengespeichert und an der gewünschten Position mit Strg und V wieder aus der Zwischenlage heraus in den Text eingefügt. Ebenso funktionieren die entsprechenden Befehle im Menü Bearbeiten. Der Originaltext bleibt dabei an alter Stelle erhalten.

### Mailbox

Eine Mailbox ist ein per Modem zugänglicher Rechner, über den Sie wie an einem Schwarzen Brett Nachrichten austauschen können. Außerdem können Sie hier in der Regel verschiedene Programme auf Ihren Computer kopieren.

### Markieren

Mit einer Markierung in einem Dokument legen Sie fest, welche Textpassage im nächsten Schritt bearbeitet werden soll, beispielsweise eine neue Schriftgröße zuzuweisen. Sie können Markierungen mit der Maus oder mit der Tastatur vornehmen.

### Menüzeile

Jedes Anwendungsprogramm enthält eine Menüzeile (auch Menüleiste) mit Menü-Einträgen wie Extras. Unter diesen Einträgen sind thematisch zusammengehörende Funktionen zusammengefaßt. Ein Mausklick auf einen Menü-Eintrag klappt eine Auswahlliste der Funktionen auf. Mit der Tastatur gelangen Sie zu diesen Auswahlmenüs, indem Sie die Alt-Taste gemeinsam mit dem im Menü-Namen unterstrichenen Buchstaben drücken.

### Modem

Ein Modem ist eine Art Telefon für den Computer. Dieser kann per Modem Verbindung mit anderen Rechnern aufnehmen und so Daten und Programme austauschen.

### Online-Dienst

Online-Dienste sind Firmen, die ein großes Datennetz betreiben, aus dem die Kunden über Modem und Telefonleitung Informationen und Programme abrufen können. Große Online-Dienste wie AOL, MSN oder auch Compuserve sind zusätzlich mit dem weltweiten Datennetz Internet verbunden.

### Objekte

In einer Windows-Anwendung wie

Works können Sie auch Teile oder ganze Dokumente aus anderen Anwendungen in ein Dokument, eine Datenbank oder ein Arbeitsblatt einbauen. Dabei kann es sich um Texte, Bilder, Zeichnungen oder auch Musikdateien handeln. Diese werden Objekte genannt. Zu erkennen sind solche Objekte meist daran, daß sie nach einem Mausklick darauf einen eigenen Rahmen zeigen und sich dann bearbeiten lassen.

### Ordner

Bei Windows 95 heißen Programm- und Datenverzeichnisse „Ordner". In diesen werden Dateien gesammelt und lassen sich dadurch einfacher verwalten. Ordner erkennen Sie normalerweise am typischen Symbol  .

### Pfad

Ein Pfad zeigt, wo ein Programm eine Datei findet. Zu einer Kalkulationsdatei „budget.wks" im Ordner „verein\1997" auf der Festplatte C führt zum Beispiel der Pfad: C:\programme\msworks\verein\1997\bu dget.wks.

Bei der Eingabe müssen Sie die Teilpfade jeweils durch einen gespiegelten Schrägstrich (Tastenkombination Alt und ↑ und ?/) trennen.

### Programmsymbol

Unter Windows werden ausführbare Programme nicht nur mit ihrem Namen, sondern auch mit einem eigenen kleinen Bild, dem Programmsymbol, dargestellt. Dieses ist entweder links oder oberhalb vom Namen sichtbar.

### Registerkarte

Das Prinzip der Registerkarte ist dem des normalen Karteikastens nachempfunden. Auf einer Karte finden Sie beispielsweise alle Einstellungen zu einer Programmfunktion. Sind mehrere Karten vorhanden, bringt ein Klick auf den „Registerreiter" die zugehörige Karte in den Vordergrund.

### Schaltfläche

In vielen Fenstern können Sie kleine, beschriftete Schaltflächen sehen, die per Mausklick eine bestimmte Aktion ausführen. Die bekannteste Schaltfläche ist wohl OK, die Eingaben beendet und ein Fenster schließt.

### Spaltenkopf

Jedes Tabellenkalkulationsblatt einer Works-Tabelle enthält horizontale Zeilen und vertikale Spalten. Jede Spalte hat oben einen Spaltenkopf, der mit einem bestimmten Buchstaben beschriftet ist, zum Beispiel 

. Die erste Spalte hat den Namen A, die zweite B. Bei mehr als 26 Spalten geht die Beschriftung dann mit AA und AB weiter. Zeilen dagegen werden ganz links auf den Zeilenköpfen ab 1 durchnumeriert. Eine einzelne Zelle der Tabelle läßt sich so sehr einfach aus der Bezeichnung von Spalte und Zeile kennzeichnen: A1 ist beispielsweise die Zelle in der ersten Spalte und Zeile.

### Startleiste

Die Startleiste von Windows 95 hat ihren Namen von der Schaltfläche 

. In der Leiste werden zudem alle gerade geladenen Programme mit Symbol und Namen aufgelistet. Ein Mausklick auf die entsprechende Schaltfläche genügt dann, um die jeweilige Anwendung auf den Bildschirm zu holen.

### Titelzeile

Alle Fenster unter Windows enthalten eine Titelzeile. Diese zeigt meist den Namen eines Programms oder die Bezeichnung einer Funktion.

### Treiber

Treiber sind kleine Programme, die die Steuerung von zusätzlich an den Computer angeschlossenen Geräten, etwa eines Druckers oder Modems, übernehmen und für die Zusammenarbeit mit dem PC sorgen.

### Verknüpfung

Statt eine Programmdatei mehrfach auf der Festplatte zu speichern, können Sie bei Windows 95 beliebig viele Verknüpfungen zu dieser Datei erzeugen. Diese enthalten lediglich die genaue Information, wo die Originaldatei zu finden ist. Ein Mausklick auf eine solche Verknüpfung startet dann sofort das zugehörige Programm. Eine Verknüpfung erkennen Sie bei einem Programmsymbol sehr schnell an dem Pfeil links unten.

### Zelle

Die kleinste Einheit einer Tabelle ist die Zelle. Dort können Sie Daten eingeben (zum Beispiel Zahlen, Formeln, Texte). Die Tabelle besteht aus horizontalen Zeilen und vertikalen Spalten. Jede Zelle einer Tabelle wird daher durch die Position in einer Zeile und Spalte exakt festgelegt, ähnlich wie beim alten Schülerspiel „Schiffe versenken“.

## Ziehen

Bei Windows eine typische Aktion, die mit der Maus ausgeführt wird. Dabei wird ein bestimmtes Element, zum Beispiel ein Rollbalken, ein Schieberegler oder auch eine Datei im Explorer, mit der linken Maustaste angeklickt. Wird die Maustaste festgehalten, lassen sich diese Elemente mit der Maus „festhalten" und an eine andere Stelle ziehen. Loslassen der Maustaste beendet den Vorgang.

## Zwischenablage

Die Zwischenablage ist ein Teil des Arbeitsspeichers, der von allen Windows-Anwendungen genutzt werden kann. Mit dem Befehl Kopieren speichern Sie beispielsweise Texte, Grafiken oder Teile davon kurzfristig in die Zwischenablage, bevor Sie sie mit Einfügen an eine andere Stelle oder eine andere Datei kopieren. Allerdings paßt immer ein Teil gleichzeitig in die Zwischenablage.

---


Umschlaggestaltung:
Volkmar Schwengle/BuW, Berlin
Fotos: Bavaria Masterfile
Satz: LVD GmbH, Berlin
Druck und Weiterverarbeitung:
Ebner Ulm
Printed in Germany
ISBN 3-548-41103-7

Gedruckt auf alterungsbeständigem Papier mit chlorfrei gebleichtem Zellstoff

Die Deutsche Bibliothek –
CIP-Einheitsaufnahme

**Freibe, Elmar:**
Works für Windows 95/
Elmar Friebe. –
Berlin: Ullstein, 1997
(ComputerBild)
ISBN 3-548-411003-7